Milans Band

Lees ook van Leny van Grootel:

www.uitgeverijholland.nl

LENY VAN GROOTEL

Milans Band

Uitgeverij Holland - Haarlem

Omslagontwerp: Studio Jan de Boer

© Uitgeverij Holland - Haarlem, 2009

ISBN 978 90 251 1085 7
NUR 283

Weg

'Als ze maar niet denken dat ik mee ga. Ik ga niet mee. Ik. Ga. Niet.'

Milan zit op zijn bed en ramt een paar krassende akkoorden op zijn gitaar. Zodat ze het allemaal kunnen horen. Want hij is kwaad. Die snijdende tonen zijn niet anders dan kreten van woede, op zijn manier. Woede, om wat er was gebeurd.

Silke, zijn zusje van zeven, had om een of andere reden die dag vrij gehad. Juf ziek of zo. Toen hij zelf thuiskam, huppelde ze hem tegemoet. 'Moet je fien,' sliste ze. 'Alweer een tand eruit.' Als bewijs grijnsde ze hem toe, en inderdaad, waar haar voortanden moesten zitten, was nu één groot gat.

'Zo,' zei hij, terwijl hij zijn rugzak van zijn schouder hees. 'En heb je al tien eurocent gehad van de tandenfee?' Ze schudde haar hoofd. 'Nee, ik krijg een pony. Hoor je dat Milan, ik krijg een pony!'

Hij lachte haar uit en kroelde een beetje door haar wilde haardos. Zoals grote broers doen als hun kleine zus weer eens iets stompzinnigs zegt.

Een pony, ja vast wel. Op een balkon van anderhalve meter, nog te klein voor een konijn. Hij schudde zijn hoofd en nam de lift. 't Was vandaag te warm voor de trap.

Toen hij binnenkwam was het eigenaardig stil. Zijn moeder stond niet zoals gewoonlijk in de zijkamer met de radio aan snoepzakken te vullen (dat doet ze als bijbaantje voor ome Sjaak, die een kraam heeft op de markt). Er stond een nieuwe lading drop, zuurtjes en winegums. Maar de dozen waren nog niet opengemaakt. Zou mamma ziek zijn, vroeg hij zich af? Maar nee, er lag een briefje op tafel. *'Milan, pappa en ik zijn even weg, een paar minuutjes maar. Silke speelt buiten, let jij even op. Tot zo!*

Pappa en ik? Was pappa dan niet naar kantoor? En hij had het nog wel zo druk!

Toen had hij al onraad kunnen ruiken. Maar nee, hij zocht er niks speciaals achter, blij mannetje dat hij was. Stom ventje.

Hij was gewoon naar zijn kamer gegaan, om zijn nieuwe lied-je *Colours* uit te proberen. Het liedje dat hij had geschreven voor…

Nou ja, niet meer nodig. Milan geeft een hulpeloze trap tegen zijn muziekstandaard, de map R&B valt op de grond uit elkaar. Blaadjes met akkoorden en songteksten schuiven over het zeil. Het heeft geen zin om ze nog bij elkaar te zoeken, hij kan ze net zo goed meteen in de prullenbak proppen.

Verslagen doet hij zijn ogen dicht en probeert zijn gedachten weer op een rijtje te krijgen.

Hij zat dus, na dat briefje, wat nieuwe akkoorden te oefenen, toen zijn vader en moeder binnenkwamen. Helemaal opgeto-gen, met een grote taart.

'Kom je, Milan? We hebben iets te vieren.'

Hij mee naar de huiskamer. Onderweg nog hevig nadenkend. En radend. Er is toch niemand jarig? Zijn jullie duizend jaar getrouwd? Of… hebben we de jackpot gewonnen!

Zijn vader lachte hem uit. 'De jackpot? Was het maar waar. Hoe kom je daar nou bij?'

'Nou, jullie doen zo dom blij. En Silke had het over een pony. Het kàn toch?'

Zijn moeder kreeg een kleur. 'Heeft Silke iets gezegd? Dat was niet de bedoeling. Wij wilden het jou zelf vertellen.' Ze keek als een betrapt stout kind.

'Ja maar, wat is er dan? Ik weet van niks!'

 6

'Dan zal ik het maar gauw zeggen,' lachte zijn vader weer. 'Ik heb een nieuwe baan, boy. En niet zomaar een baan. We gaan er behoorlijk op vooruit, al zeg ik het zelf. Heb ik niet voor niks avond aan avond zitten leren. Dat is wel een feestje waard, of niet soms! En een taart!'

'O.' Milan moest het nieuws even tot zich laten doordringen. Een nieuwe baan... ja, dat was leuk voor zijn pa. En meer geld, dat was natuurlijk nooit weg. Dan zat er misschien nog eens een nieuwe versterker in, voor zijn gitaar. Maar waarom keken ze hem zo aan? Er was nog iets, dat voelde hij gewoon.

'O', zei hij dus maar weer. 'Gefeliciteerd, pap. Maar wat heeft die pony ermee te maken, waar Silke het over had? Mag ze op rijles of zo?'

Zijn vader en moeder keken elkaar aan. Wat was dat, durfden ze het niet te zeggen?

'Ik ben heus niet jaloers hoor, als jullie dat soms denken. Pfff, zij liever dan ik.'

Milan was voor het raam gaan staan en zag zijn zusje op het klimrek zitten. Echt een buitenkind, die Silke. Van hem mocht ze paardrijden tot ze een ons woog, als hij maar niet steeds mee moest naar de manege. Hij bleef graag alleen, kon hij lekker gitaar spelen zonder gezeur dat het zachter moest.

Maar toen zei zijn moeder, met het taartmes in de hand: 'Silke hoeft misschien niet eens naar een manege. We kunnen ergens gaan wonen waar genoeg ruimte is voor een pony.'

'Hè? Gaan we verhuizen? Gaan we de flat uit?' Milan zei het half blij, half verontrust. 'Maar jullie zeiden altijd dat een huis met een tuin hier in de buurt onbetaalbaar is. Zijn we dan zo rijk ineens?'

Weer die blikken van zijn ouders. Van hem, naar elkaar, weer naar hem. Toen begon er iets te dagen, eindelijk hoor, sulletje

7

Milan had het door. 'We gaan toch niet de buurt uit? Nee hè? Niet naar een andere wijk?'

'Milan...' Zijn vader legde een hand op zijn schouder. 'Je zult misschien aan het idee moeten wennen. We gaan weg hier, inderdaad. De stad uit zelfs. Maar we krijgen er wél iets voor terug. Ik heb een prachtig aanbod van mijn nieuwe...'

'Ik wil niet!' Milan sloeg zijn vaders hand weg. 'Ik hoef geen pony, dat weten jullie best. Ik... Ik...' Hij schudde zijn hoofd, verbijsterd, vol ongeloof. 'Hoe lang weten jullie dat al? Waarom hebben jullie niks gezegd?'

'Tja... we wilden jullie niet in onzekerheid laten. Je wist toch wel dat ik aan het solliciteren was? Dat ik ander werk zocht?'

'Ja, werk! Dat kan mij niks schelen. Maar weggaan! Dat is heel wat anders. Jullie hadden het mij eerst moeten vragen!'

'Maar jongen, 't is een kans van één op honderd. Zoveel sollicitanten! Ik had nooit verwacht dat ze mij eruit zouden pikken. Vanmorgen kreeg ik het definitieve bericht: aangenomen. Ik krijg de hele loonadministratie van een glasvezelbedrijf in Velder onder me. Je weet wel, dat plaatsje waar we doorrijden als we naar zee gaan.'

'Dat gat!'

'Een leuk klein dorpje. Het gebouw staat helemaal aan de rand, vroeger zat er een glasfabriek in. En nu komt het.Van oudsher hoort er een woning bij. Een soort portiershuis. Maar tegenwoordig, met die alarmsystemen, hebben ze geen portier meer nodig, voor dag en nacht. Ze hebben ons het huis aangeboden, voor een zeer schappelijke prijs. Het is de kans van ons leven. Een eigen huis, aan de Wilgenstraat. Vrijstaand, met een grote tuin. De droomwens van je moeder. Zoiets vinden we echt nooit meer, Milan.'

'Zoiets vinden we echt nooit meer, Milan!'

Milan jauwt de woorden van zijn vader na, nu, alleen op zijn kamer. Bij elk woord raspt hij met zijn plectrum over een snaar. Jauw, jauw jauwwww! En dan, als vanzelf, volgt de rap:

'Zoiets vinden we nooit meer, maar dat kan mij niet schelen want mijn hart doet veel te zeer. Ik blijf hier in de stad, dan weten jullie dat. Hier ben ik thuis ook al is het een flat, hier staat mijn bed, dat dorp is pet. De stad is oké, dus ik ga niet mee!'

'Toe Milan.' Zijn moeder weer, ze zet een stukje taart op zijn bureau. 'Doe niet zo ongezellig; eet een stukje taart. Morgen gaan we samen kijken. Als het echt niks is, doen we het niet. Pappa heeft nog niets ondertekend.'

'Ik heb geen zin in die taart. En ik ga niet mee, ook al is het een villa met zes badkamers. Wat heb ik daaraan? Ik raak alles kwijt. Wat denk je van de band? Denk je soms dat er een band is in dat achterlijke dorp op die achterlijke school? Maar dat kan jullie niks schelen. Helemaal niks.'

Milan draait zich naar de muur. De taart blijft onaangeroerd. Ook al is het de allerlekkerste, met chocola en slagroom en nootjes bovenop.

Milans Band (1)

Milan zei dan wel 'band' maar hij bedoelde eigenlijk: Djinn. Djinn en hij zitten al vanaf de eerste groep bij elkaar op school en iedereen denkt dat ze verkering hebben. Maar nee, dat is het niet, want het heeft niks te maken met de geheimzinnigheid, de stiekeme afspraakjes en het gesmoes dat normaal gesproken bij verkering hoort. Djinn en hij zijn gewoon graag samen, ze maken samen huiswerk, muziek en ook ruzie als het moet. Gekust hebben ze nog nooit. Nou ja, behalve dan een keer bij dat kusspel tijdens de pauze, oei, het geloei dat toen opging. Stom gedoe en ze trekken zich er verder niks van aan.

Maar nu…

Milan zit samen met Djinn te wachten op de andere leden van *Milans Band*. Die band is een jaar geleden ontstaan, toen Milan een liedje gemaakt had voor de bruiloft van juffrouw Marloes in groep zeven. Sindsdien spelen ze elke week wel een keer samen, in het schuurtje bij Djinn thuis. Milan en Djinn op hun gitaar, Luuk op zijn keyboard en Jorian op de saxofoon. Iedereen zegt dat ze keigoed zijn en dat vinden ze zelf eigenlijk ook wel.

Maar nu dus… Hij vertelt Djinn over de dreigende verhuizing en intussen voelt het niet gewóón om zo dicht naast elkaar te zitten. En hij voelt dat het bij Djinn net zo is. Voor het eerst misschien wel, kijken ze echt naar elkaar. Milan ziet opeens spikkeltjes in Djinns ogen. Hebben die er altijd gezeten? En die moedervlek bij haar oor? Die haartjes op haar arm? Voor het eerst ziet hij een meisje zitten in plaats van een maatje.

'Hoeveel procent zeker is het?' vraagt Djinn, nadat het wel een minuut stil is geweest. Milan haalt zijn schouders op.

'Morgen gaan we naar dat huis kijken. Als het niks is, gaat het niet door, zegt mijn moeder. We hebben allemaal inspraak, zogenaamd. Maar Silke is al om, die hebben ze een pony beloofd. Mijn moeder wil al jaren de flat uit, mijn vader zoekt al eeuwen ander werk... Dus wat doet mijn mening er nog toe? 't Is voor negenennegentig procent zeker dat we gaan.'

'Dus toch nog een klein kansje dat je blijft.' Djinn zet een fiets opzij en gaat op de grond zitten, met haar rug tegen de muur. 'Dat huis is vast een krot naast een stinkende kippenschuur met uitzicht op de vuilnisbelt.'

'Ik hoop het. Maar zo erg zal het jammer genoeg wel niet zijn.' Op dat moment horen ze een fiets schurend en overdwars remmen, gevolgd door een bonk tegen de houten wand. Jorian. Die doet normaal al niks in een gewoon tempo, maar deze keer heeft hij wel erg veel haast.

Zwaaiend met een uitgeprint artikeltje stuift hij binnen, op de voet gevolgd door Luuk, die blijkbaar tegelijk is aangekomen. 'Hé, moet je kijken, gevonden op internet. Echt iets voor ons. De Bandbende, een soort Idols. Je moet je eigen tekst en muziek schrijven en ...'

Jorian stopt abrupt als hij merkt dat Milan en Djinn nauwelijks reageren. 'Ja, wat hebben jullie nou? Dit is een kans, man. We hoeven alleen maar een filmpje te maken met het mobieltje van mijn pa, dat is gelijk de voorronde. En dan de finale... ja zeg, wat is er nou!' Kwaad smijt hij het papier van zich af. 'Ik zal nog eens iets leuks verzinnen,' roept hij. 'We wilden toch altijd al zoiets met *Milans Band*? Nou krijgen we de kans!'

'Ja, als we blijven bestaan.' Milan legt zijn gitaar naast zich neer en vertelt het hele verhaal opnieuw.

'Dat is dan mooi klote,' zegt Jorian uiteindelijk. 'Als ik jou was zou ik het niet pikken hoor. Net nou het zo goed gaat met de band.'

Het wordt weer stil. Allemaal staren ze naar Milan, die op zijn lip zit te bijten. Dan zegt Luuk: 'Ja hoor eens, ik heb geen zin om hier zo sloom te blijven zitten. Laten we gewoon gaan repeteren en meedoen met de Bandbende. Misschien gaat die hele verhuizing niet door. En zo ja…' Hij ritst met een vinnig gebaar de hoes om zijn keyboard open. 'Dan moet het maar met één man minder.'

Dat laatste had hij nou niet moeten zeggen. Djinn kijkt hem woest aan. 'Hoe kom je daar nou bij. Wie heeft de band bedacht? Milan! Zonder hem geen *Milans Band*. Dan begin je maar iets nieuws. Maar zonder mij!'

'Oké, oké, rustig maar. Ik bedoelde het niet zo. Ik bedoel alleen…'

'Luuk heeft gelijk natuurlijk. Jullie moeten gewoon doorgaan zonder mij. Waarom niet, zou ik zelf ook doen.' Milan pakt zijn gitaar en staat op. 'Laten we nou maar beginnen. Ik ehhh…' Hij denkt aan het liedje dat hij thuis geschreven heeft en dat nu als een vodje papier in de prullenbak ligt. 'Ik heb een nieuwe tekst geschreven, misschien is het iets voor die wedstrijd. Maar laten we nu maar een beetje gaan jammen, gewoon voor de lol.'

Dat doen ze, maar erg lollig wordt het niet en een half uur eerder dan gewoonlijk pakken ze hun instrumenten weer in. Milan treuzelt expres tot Luuk en Jorian weg zijn. Hij zou willen dat Djinn net als anders gewoon haar hand op zijn schouder legt en vraagt of hij nog even wil helpen met een moeilijke som of een Engelse zin. Maar het is niet meer zoals anders.

Toch laat ze hem niet zomaar alleen de deur uitgaan. Ze loopt hem achterna, als hij met zijn fiets aan de hand en de gitaar op zijn rug door het tussengangetje loopt te stuntelen.

Als hij wil opstappen, houdt ze hem tegen.

'Ik meen het, hoor Milan,' zegt ze. 'Zonder jou vind ik er niks meer aan. Zonder jou...' Ze zwijgt en krijgt een kleur. Dan draait ze zich om en gaat vlug naar binnen.

Maar goed ook. Want Milan heeft een nog veel rooiere kop en dat wil hij voor geen goud laten merken. Zouden ze nu dan toch verliefd zijn?

Heel even voelt hij, waar de anderen het altijd over hebben. Vlinders in zijn buik. Maar tegen de tijd dat hij de vier trappen omhoog klimt naar de flat, zijn de vlinders veranderd in stenen. Zware bakstenen, die drukken op zijn maag. Die hem weer laten voelen wat er dreigt. Een verhuizing die geen rekening houdt met hem. En zeker niet met vlinders.

Sleutel

Als ze de volgende dag in Velder de Wilgenstraat inrijden, is het eerste wat er door Milan heen gaat een gevoel van opluchting. Hier zal zijn moeder zeker niet willen wonen. De hele straat met die sprietige boompjes ligt in de schaduw van een verveloos gebouw met een enorme schoorsteen, zwart van de rook die er in vroegere tijden werd uitgeblazen. Er staan wat vage gebouwtjes omheen, met een parkeerplaats en een fietsenhok.

Daar recht tegenover staat dan het huis. Nou, zeg maar huisje. Nog net niet het krot naast een stinkende kippenschuur met uitzicht op de vuilnisbelt waar Djinn het over had. Maar toch zeker niet veel meer. Hij hoort ook de teleurstelling in zijn moeders stem. 'Is het dat, David? Weet je het zeker?'

Zijn vader antwoordt niet. Hij rijdt het parkeerterreintje van de fabriek op.

'Wachten jullie hier maar even. Ik ga de sleutel halen, op het kantoor. Dat zal daar wel zijn.' Hij loopt langs een rij armetierige coniferen naar een houten keet met oranje zonneweringen, die nog iets fleurigs geven aan het treurige geheel. Mamma stapt niet eens uit en dat zegt genoeg. Milan moet een grijns onderdrukken en balt zijn vuisten in zijn jaszak. Yes, dit gaat de goede kant op.

Hij kijkt opzij, naar zijn zusje, maar die heeft nog niet door dat ze haar pony wel kan vergeten. Ze zit met haar neus tegen het raam gedrukt en heeft alleen maar oog voor een paar duiven die rond een prullenbak naar kruimels brood lopen te zoeken.

Vijf minuten later komt zijn vader terug in gezelschap van een man, die met kleine stapjes achter zijn eigen dikke buik aan-

dribbelt. Hij moet ergens heel hard om lachen en slaat pappa
vrolijk op zijn schouder. Of ie hem al tien jaar kent.

Mamma moet dan wel uitstappen en tot zijn verbazing ziet
Milan hoe de man haar met een zwierig gebaar de hand kust.
Nou, nou, zijn ze hier op staatsiebezoek of zo? Milan laat het
raam wat zakken en nu kan hij flarden van zinnen verstaan.

U moet er doorheen kijken, mevrouw... Fabriek wordt afgebroken...
Nieuw bedrijf, nieuwe wijk... Huis wordt het dubbele waard...

Ja ja, die man praat mooi. Die kan zeker niemand krijgen, wie
wil hier nou ook werken, op zo'n saaie plek? Als hij maar niet
denkt dat pappa erin trapt, in die mooie praatjes.

Dan buigt de man zich opeens naar hem toe en draait met zijn
vinger rond, om te zeggen dat het raam nog wat lager moet.

'Zo, zo,' zegt hij, met van die blije twinkeloogjes. 'Ik wist niet
dat onze toekomstige administrateur al zo'n flinke zoon had.'
Hij steekt zijn grote hoofd bijna naar binnen. 'En zo'n mooie
jongedame,' slijmt hij. Of ze nog kleuters zijn. Maar ook dat
kan Silke natuurlijk weer niks schelen, moet je zien hoe ze lacht
met dat gat tussen haar tanden.

'Hebt u graag dat ik met u meega?' vraagt de man. 'Er is daar
al heel lang niemand binnen geweest.'

Gelukkig wijst pappa dat aanbod af. 'We redden ons wel.' Hij
zwaait de sleutel aan het touwtje rond. 'Zolang we geen lijken
in de kast vinden...'

Toe maar, nog grapjes maken ook. Ze schijnen elkaar wel te
mogen, pappa en die man. Met zijn oude baas kon pappa helemaal niet opschieten, dus iemand die een beetje aardig doet is
al gauw goed. Maar niet goed genoeg, toch zeker?

'Kom maar uit de auto, jongens,' zegt pappa. 'Dat stukje kunnen we wel lopen. Dank u wel meneer Sanders, ik breng straks
de sleutel terug.'

'Zeg maar Piet, jongen, zeg maar Piet,' zegt de man. Hij haalt een zakdoek te voorschijn en veegt de zweetdruppeltjes van zijn voorhoofd. 'Ik had je graag persoonlijk begeleid maar ik begrijp ook wel dat jullie eerst op je gemak zelf eens willen rondkijken. Kom na afloop in elk geval even iets drinken. En als je iets te vragen hebt dan weet je me te vinden.'

Hij knikt nog even heel hoffelijk naar mamma en loopt dan terug naar het kantoor.

'Aardige man,' zegt mamma. 'Maar dat huis zie ik niet zitten.'

'We zullen zien.' Pappa stopt de sleutel in zijn zak, pakt mamma bij haar arm en Silke bij de hand. Zo lopen ze in de richting van het huis. Milan sjokt er achteraan, hoewel hij net zo lief in de auto was blijven zitten. Zonde van de moeite om dat huis te bekijken, het wordt toch niks en dat is maar goed ook.

Dan horen ze voetstappen achter zich en als ze omkijken zien ze meneer Piet weer aan komen hollen. 'Waar gaan jullie naar-toe?' vraagt hij verbaasd. 'Je moet de andere kant op.' Dan valt zijn blik op de bouwval aan de overkant van de weg. 'O… jul-lie denken dat dàt het huis is! Nee hoor, dat wordt straks ook gesloopt. Jullie huis staat ginds, achter de fabriek. Je kunt binnendoor lopen, langs het kantoor dus, maar je kunt ook de auto pakken en een stukje doorrijden tot om de bocht. Dan zie je het wel.'

Hij draait zich om en ze kijken hem verbluft na tot hij ver-dwijnt achter een dorre conifeer.

Het paradijs

Nou, zo héél veel beter lijkt dat andere huis niet. Even verveloos, en zo ouderwets, met dat glas in lood. Een voortuintje van niks. Milan ziet tevreden hoe het gezicht van zijn moeder weer betrekt. Ze stappen uit en blijven even staan kijken.

'Het staat wel erg dicht op die fabriek,' zegt ze. 'Dan zijn onze flats nog mooier om tegenaan te kijken.'

'De straat ligt ertussen. En die fabriek wordt afgebroken,' zegt pappa. 'Het nieuwe gebouw blijft laag, en er komen ook gewone huizen. Over een paar jaar is alles hier anders.'

Mamma is nog niet overtuigd. 'Dat zegt die Piet ja.'

'Ik kan het bestemmingsplan van de gemeente opvragen,' zegt pappa. 'Kom, we gaan naar binnen.'

Hij steekt de sleutel in het slot en duwt tegen de deur. 'Oef,' zegt hij, 'die zit vast.' Hij zet zijn schouder ertegen en duwt uit alle macht... Ja, er komt beweging in. Op dat moment horen ze binnen een geluid. Iemand slaat een deur dicht. Ze kijken elkaar geschrokken aan. 'Wat is dat nou?' zegt pappa, 'ik hoop toch niet dat er een zwerver...'

Dan horen ze voetstappen opzij van het huis. Een meisje rent de tuin uit. Een meisje met lang, zwart haar. Ze is net zo geschrokken als zij, ze springt over een heggetje en vlucht de straat in. Wonderlijk snel op de slippertjes die ze draagt. Verbaasd kijken ze haar na.

'Wat moet zo'n kind nou hier?' zegt mamma. Pappa, al lang blij dat hij geen grote kerel hoeft weg te jagen, haalt zijn schouders op. 'Kinderen zijn nieuwsgierig. Er zal wel ergens een raam openstaan. Dat moeten we meteen controleren.'

Even later staan ze in een gang, veel lichter en breder dan je buiten zou vermoeden. Milan ziet mamma's gezicht opklaren. En ook de rest van het huis is zo te horen een regelrechte ramp. Milan had zijn oren het liefst dichtgestopt. Al die enthousiaste kreten.

'Een aparte woonkeuken. Wat een ruimte zeg!'

'Jongens een open haard! Dat wordt gezellig!'

'Hier! Onder de trap. Een loei van een kast!'

'Ja, ideaal. Voor de snoepdozen van Sjaak!'

'Die zolder! Milan, echt een kamer voor jou!'

Maar Milan blijft waar hij is, in de gang en laat iedereen voorbij draven.

'Ik vind het maar een vies oud krot,' roept hij, als hij even om de deur van de woonkamer heeft gekeken. 'Thuis zijn jullie al in paniek over één krasje op de deur. Moet je hier zien!'

Maar niemand luistert. Deuren gaan open en dicht, voor, achter en boven. Stof dwarrelt op, in gekleurde banen zonlicht. Het schijnt niemand te deren. Dan klinkt opeens de stem van Silke, ergens van buiten.

'Mamma! Pappa! Mamma! Pappa!'

Zijn ouders hollen de trap af, naar de huiskamer. 'Toch een lijk in de kast,' wil Milan lollig doen. Maar hij loopt toch, een beetje nieuwsgierig geworden, met ze mee.

Helemaal achter in het huis is een serre, met tuindeuren. In een van de deuren ontbreekt het raam. 'Zie je wel!' knikt pappa. 'Zo is dat kind van daarnet binnengekomen. Ik zal kijken of ik ergens een plank kan vinden om ervoor te slaan.'

'Mamma, pappa!' klinkt het weer. Dan zien ze Silke buiten, die door dat gat gekropen is. Op hetzelfde moment weet Milan genoeg. Hier zal zijn moeder voor bezwijken. Want Silke staat daar in een prachtige bloementuin, aan de rand van een vijver onder een grote oude treurwilg; en daarachter is weiland zover je kunt kijken. En in dat weiland galopperen drie paarden, met hun staarten omhoog, zoals je ze wel op schilderijen ziet. Kortom, Milan kijkt recht naar het paradijs op aarde. Nou ja, Silkes paradijs dan. En ook dat van zijn ouders. Ze kijken elkaar met hun handen voor hun mond geslagen opgetogen aan. 'O, David,' hoort hij zijn moeder zeggen. 'O, David.' Meer niet, maar het zegt alles.

Een half uur later zitten ze in meneer Piets kantoor. 'Ik wist wel dat het huis jullie zou bevallen,' zegt hij tevreden, breeduit achter zijn bureau. 'Er moet het een en ander worden opgeknapt natuurlijk, maar het is een moordplek.' Hij pakt een pen uit zijn borstzak en schrijft iets in een openliggende agenda. Dan kijkt hij pappa aan. 'Goed, ik stuur je zo snel mogelijk de papieren toe. Zodra ik ze ondertekend terugheb, is het contract rond. Dan kun je per 1 oktober beginnen.' Kwiek komt hij achter zijn bureau vandaan. 'Daar drinken we op.'
Pappa lacht een beetje schaapachtig. 'Maar we hebben nog niet beslist,' zegt hij. 'Ik moet die papieren nog lezen en eh...' Nu kijkt hij met een schuin oog naar Milan, die witjes en ineengedoken op zijn stoel zit. 'En eh... ik wil nog wel even bedenktijd.'
'Uiteraard. Maar niet te lang. Wij hebben echt dringend iemand nodig, zie je.'
Meneer Piet drukt op een bel en onmiddellijk komt er een meisje binnen. 'Haal je even wat glazen en een sapje, Saskia,' zegt hij. En dan met een lach: 'De champagne bewaren we voor als de zaak rond is. Afgesproken?'
Ze krijgen allemaal een glas jus d'orange, maar bij elke slok wordt Milan misselijker. Zijn hoofd bonst en zijn maag lijkt wel

een heksenketel vol met gif. Hij wou dat hij naar buiten kon, maar de grote mensen blijven maar praten over secundaire voorwaarden en aftrekposten en meer dingen waar hij niks van snapt. En over dat geweldige huis natuurlijk. Pfff, als het zo geweldig is, waarom gaat die Piet daar dan zelf niet wonen!

Als ze eindelijk weer in de auto zitten, kan hij maar één ding denken. 'Ik wil niet. Ik wil niet. Ik wil niet.'

Intussen raakt zijn zus niet uitgeslist over de viffen in de vijver en de paardjef bij de floot. En ze is helemaal opgetogen als ze nog even langs de school rijden waar ze naartoe zouden moeten. Omdat er een klimrek staat in de vorm van een paddenstoel. Nou, nou, geweldig. En als ze vlak bij de stad in een file komen te staan zegt ze, zo flemerig dat je er ziek van wordt: 'Ik heb het zo warm. In Velder is geen file, hè pappa? Kijk dan Milan, wat een lange rij.'

Maar Milan knijpt zijn ogen dicht en doet of hij slaapt. Wat kunnen die files hem schelen, daar heeft hij nooit last van op zijn fiets. En dan moet pappa maar een auto met airco kopen, dan hoeft ie niet zo idioot zitten te zweten, dan is dat probleem ook opgelost.

Lijstje maken

Gelukkig hebben ze het er die avond verder niet over. En ook de volgende dag gaat voorbij alsof er niets aan de hand is. Milan begint al bijna te denken dat het hele gedoe overwaait. Maar op zaterdagmorgen komt er een dikke brief met de post, de papieren van meneer Piet. Milan ziet hoe zijn vader een beetje zenuwachtig de envelop openscheurt. Mamma ziet het ook. 'Zijn dat de ehh…'

'Ja.' Pappa gaat op de bank zitten en begint te lezen. Het wordt heel stil in de kamer. Mamma zit gewoon maar niks te doen, wat eigenlijk nooit gebeurt. En Milan doet net of hij muziek zit te luisteren en frommelt wat met zijn oordopjes, maar intussen kijkt hij alleen maar naar zijn vader. Die blijft zo akelig rustig, aan zijn gezicht valt niets af te lezen. Maar als hij eindelijk de stapel documenten heeft doorgenomen zegt hij: 'Hier valt niks op aan te merken. Alles wat ze hebben beloofd staat in het contract. We krijgen zelfs de verhuiskosten vergoed. Dus… we kunnen de knoop doorhakken. Gaan we wel of gaan we niet?' Silke is ook binnengekomen en snapt meteen waar het om gaat, de slimmerik.

'Meeste stemmen gelden,' zegt ze. 'Dat zegt onze juf ook altijd.'

'Dom geklets.' Milan heeft zin om zijn zus eens flink in haar neus te knijpen. 'Weet je wat onze meester zegt? Als de mensen altijd hadden gedaan wat de meesten wilden, dan liepen we nu nog in berenvellen en zaten we ergens in een hol op een bot te kluiven.'

Dat is te moeilijk voor Silke, maar pappa knikt. 'Daar heeft jouw meester gelijk in. Maar het wil niet zeggen dat de meerderheid nòòit eens gelijk heeft. En in ons geval zijn er een heleboel goede argumenten om wel te verhuizen. Zelfs voor jou kan ik er wel een paar bedenken, Milan.'

'Welke dan?'

'Nou, je krijgt daar meer gezonde buitenlucht, bijvoorbeeld. Hier zit je altijd maar binnen, bleekscheet!' Pappa wil lollig doen zeker maar hij voelt heus wel dat hij het nog lang niet gewonnen heeft. Hij loopt naar de kast, scheurt een blaadje van een schrijfblok en maakt er een vouw in. 'Ga maar eens plussen en minnen. Dat kan heel verrassend zijn.'

'Hoe bedoel je? Wàt kan heel verrassend zijn?'

'Je gaat naar je kamer en je denkt goed na. Links schrijf je alle punten tégen de verhuizing op, en rechts alle punten voor. Snap je?'

Ja, makkelijk zat. Maar wat valt daar over na te denken? Milan pakt het blaadje aan en binnen tien minuten is hij klaar.

NADELEN VERHUIZING	VOORDELEN VERHUIZING
Ik ken daar niemand	De school is misschien
Ik raak de band kwijt	1 centimeter dichterbij
Ik raak meester Jop kwijt	
Ik raak al mijn vrienden kwijt	
En Djinn	
Ik raak mijn school kwijt	
Ik raak de flat kwijt	
Er is daar heus geen muziekschool	
Dat huis is vies en het stinkt	
En maar in de tuin werken daaro!	
Ome Sjaak moet veel verder rijden	
om snoep te brengen	
Er is daar geen muziekwinkel,	
hoe kom ik aan nieuwe snaren	

Zo, daar kan pappa het mee doen. Milan smijt het papier voor hem op tafel. Pappa bekijkt het en schudt zijn hoofd.
'Dat is niet serieus,' zegt hij. 'Je hebt er niet echt over nagedacht.'
Hij strijkt door zijn haar, dat al een beetje grijs begint te worden.
'Hoe dan ook, mamma en ik zullen toch uiteindelijk moeten beslissen. Maar we hebben het hele weekend nog. Waar speel je vanmiddag met de band?'
Zo praat hij er gauw overheen. Milan haalt zijn schouders op en gaat terug naar zijn kamer. Hij wil niet meer denken aan verhuizen. Hij wil een liedje maken. Een liedje met de woorden van Djinn: 'Zonder jou vind ik er niks meer aan. Zonder jou...'
Maar hoe hij ook akkoorden speelt, in mineur, in majeur, grote of kleine terts, het wil niet lukken. Die woorden zijn te echt en te erg om muziek van te maken.

De volgende dag valt het besluit. 'We moeten het doen, Milan,' zegt pappa, als ze aan hun zondagse ontbijt met warme broodjes zitten. 'Anders zitten we over tien jaar nog hier in de flat. We weten dat het voor jou moeilijk is. Maar heb een beetje vertrouwen in mamma en mij. Wij zijn ouder en kunnen het allemaal beter overzien. Je zult nieuwe vrienden krijgen. En je oude vrienden hoef je toch niet helemaal te missen? Je gaat de wereld niet uit. Het eerste wat we doen als we eenmaal in ons nieuwe huis wonen, is een internetaansluiting organiseren. Dan kun je chatten en mailen, elke dag als je wilt. Afgesproken?'
Milan zegt niets. Wat valt er ook te zeggen. Grote mensen zijn toch de baas. En het gemene is, je kunt niet zonder ze. Oké, er zijn kinderen die alleen leven, op straat. Je ziet ze wel eens op

televisie, in het journaal of zo. Die kinderen moeten maar zien hoe ze elke dag aan eten komen, ze gaan uit stelen of graaien uit vuilnisbakken. Maar dat is in een ander land, in een andere wereld. En trouwens, zo dapper zou hij echt niet zijn, 's nachts slapen in een hol vol ratten en slangen.

Maar hij gaat toch ook niet doen of hij zich bij de verhuizing heeft neergelegd. Dat zou wel mooi makkelijk zijn. Zonder iets te zeggen loopt hij de kamer uit en zoekt troost bij zijn gitaar.

Afscheid

'En dan nu, dames en heren, het laatste optreden van onze bloedeigen schoolband in de samenstelling Luuk Haarsma, keyboard, Jorian de Wit, saxofoon, Djinn Engels, zang, en last but not least: Milan van der Voort, gitaar!' Meester Jop zet de microfoon terug in de houder en stapt het toneel af. Een gejuich gaat op. De hal zit tjokvol, alle leerlingen van groep drie tot en met groep acht mogen erbij zijn.

Het is vrijdagmiddag, de laatste vrijdagmiddag voor Milan op zijn school. Thuis zijn de spullen ingepakt. Morgen gaan ze over. Begint er een ander leven.

'Vandaag niet aan denken,' heeft Djinn hem ingeprent. 'Anders bederf je je eigen feestje.' Dat is makkelijker gezegd dan gedaan. Toch, zodra Luuk het ritme inzet, een mooie strakke beat, vergeet Milan zijn sores. Hij speelt met heel zijn lijf. Djinns stem komt erbij, een van hun eerste liedjes: *I miss my puppets.*

En Milans solo, met die lekkere uithaal aan het eind: *I want to fly, in the sky, like a butterfly.*

Hij steekt zijn gitaar omhoog. De zaal staat op zijn kop.

Ze spelen alle nummers die ze kennen en het ging nog nooit zo goed. Iedereen danst en klapt mee, dus als ze er af en toe eens naast zitten hoort niemand het. Het laatste nummer is een rap, een improvisatie met de namen van alle leerlingen van groep acht. Die hebben ze de vorige avond pas bedacht. Maar dan staat Djinn plotseling alleen voor de microfoon, met haar gitaar.

'Eerst nog een liedje speciaal voor Milan,' zegt ze. Het wordt doodstil. Opeens beseft iedereen dat dit niet zomaar een feest-

je is, dat ze Milan zullen missen op school. En Milan zelf duizelt het een beetje, hij is nog aan het bijkomen van het rock-
nummer dat ze net gespeeld hebben. Luuk en Jorian kijken
elkaar ook verrast aan, zelfs zij wisten van niks. En Djinn
begint, met die hese stem van haar:

Milan, Milan, you must go
go to another place,
I will miss you, miss you so
can't follow your trace.

Goodbye Milan
Milan goodbye
goodbye Milan,
Milan goodbye.

Hè sjips, nou staat ie daar bijna te janken. Vooral als alle kinderen die laatste woorden zachtjes mee gaan zingen en ook de
meesters en de juffen. Milan probeert zijn tranen vlug weg te
vegen, wat maar half lukt. In een waas ziet hij Djinn op zich af
komen, hij krijgt een roos in zijn handen geduwd en een kus op
zijn wang. Dat breekt de spanning, het wordt een gejoel en
voetengestamp. 'Mi-lan, Mi-lan!' wordt er gescandeerd. Milan
snapt wel wat van hem verwacht wordt; hij slikt dapper zijn
tranen weg, slaat zijn arm om Djinns schouders en geeft haar
op zijn beurt een kus. Dat levert nog meer geklap en gestamp
op, tot Milan, die over het ergste heen is, de jongens van de
band een teken geeft en roept: 'One, two, three, four!' En nu
gaan ze lekker rappen, achtentwintig namen van achtentwintig klasgenoten en ook meester Jop wordt niet vergeten. Nog
een laatste slag op de gitaar, een laatste riedel op het keyboard,

een laatste schreeuw van Djinn: 'Ajaja ajai!' En dan is het echt voorbij. De zaal loopt langzaam leeg. De kinderen van zijn eigen groep komen hem nog een hand geven, of een klap op zijn schouder. Als ook zij verdwenen zijn, en de instrumenten ingepakt, gaat Milan alleen terug naar zijn lokaal. Stil ruimt hij zijn kastje leeg en geeft meester Jop een hand.

'Ik ben jaloers op je jongen, weet je dat?' zegt de meester. 'Ik hoop mij ook nog eens een huisje op het platteland te kunnen veroorloven.' Als hij Milans beteuterde gezicht ziet, lacht hij schuldbewust. 'Ik begrijp heus wel dat jij de lol er nog niet van inziet,' zegt hij. 'Maar Milan, je blijft altijd welkom. Als je eens een dag vrij hebt, dan kom je gewoon hier een dagje meedraaien. En...' Hij wijst naar de computer achter in het lokaal. 'We houden contact natuurlijk.'

Meester Jop loopt naar zijn bureau en haalt er een pakje uit. 'Dit is voor jou,' zegt hij. 'Maak het thuis maar open. Ik hoop dat hiermee een nieuwe wereld voor je opengaat. Dag mijn jongen, het ga je goed.'

Met lood in de schoenen loopt Milan de gang door, de speelplaats over. Djinn staat hem, zoals altijd, bij de poort op te wachten. Maar ze begint niet druk te praten, zoals anders, over het boek dat ze aan het lezen is of over een nieuwe cd. Net, in die zaal, durfde ze hem een kus te geven, maar nu is ze opeens verlegen. Ze heeft haar handen diep in haar zakken gestopt. En ook Milan weet zich met zijn houding geen raad. Zijn benen trillen zo raar. Om dat te verbergen schopt hij stoer een steentje weg. 'Dat was een mooi liedje,' zegt hij dan.

Djinn knikt. 'Ik weet alleen niet of het goed Engels is.'

'Wat kan dat nou schelen.'

Ze lopen zwijgend verder. Als Djinn bij haar straat is, blijven ze staan.

'Zie ik je nog?' Sjips, weer zo'n brok in zijn keel. 'Ik wil het graag,' zegt hij, maar het wordt iets onverstaanbaars.

'Na het eten bij het klimrek?'

Het klimrek, waar overdag de kleuters spelen, is 's avonds de hangplek voor de oudere kinderen. Milan schudt zijn hoofd. 'Niet waar iedereen is. Bij de boom? Nog voor één keer?'

De boom, hun boom, staat aan de achterkant van de flat, bij de vijver. Toen ze nog klein waren klommen ze er vaak in. Samen pasten ze precies in het kuiltje tussen de stam en een knoest in de dikste tak. Dan bedachten ze dat ze op een onbewoond eiland zaten, hij Tarzan, zij Jane. Of ze maakten mensen aan het schrikken door een eikeltje op hun hoofd te laten vallen. Wat een lol als die mensen dan verbaasd omhoog keken en zij onzichtbaar op hun tak zaten te stikken van het lachen.

'Oké, bij de boom dan.' Ze raakt even zijn arm aan en rent weg.

Onderweg naar huis maakt Milan het pakje van meester Jop open. Het is een vogelboek. Een vogelboek! Wat moet hij daar nou mee. Teleurgesteld bladert hij het door. Foto's met een saai verhaal erbij. Wat kan het hem nou schelen hoe het nest van een ruigpootbuizerd eruitziet! Hij stopt het in zijn rugzak en als hij thuiskomt is hij het hele boek vergeten. De flat is vol met buren die afscheid komen nemen. Ze zitten op dozen of verhuiskisten, en omdat het servies al is ingepakt drinken ze koffie uit plastic bekertjes. Milan heeft daar geen zin in, maar op zijn kamer vindt hij weinig troost. Er staat niks meer in. Gelukkig heeft hij zijn gitaar nog. Hij gaat op zijn bed zitten en drukt het instrument dicht tegen zich aan. Het voelt zo vertrouwd, als een geruststelling. Alsof het om een liedje vraagt, heel zacht, heel anders dan Milan ooit heeft gespeeld. En Milan speelt het, het gaat vanzelf. Een afscheidslied, een liefdeslied, een lied diep uit zijn hart.

De M van Milan

'Hé, Milan, kom erbij!'

Djinn zit al in de boom als Milan aankomt. Maar, anders dan vroeger, neemt ze bijna het hele kuiltje in beslag. Hij blijft aarzelend op de onderste tak staan. 'We passen niet meer!'

'Ach, welja joh.' Djinn schuift zover mogelijk op. Hij wurmt zich op hun tak, maar naast elkaar zitten lukt alleen als hij zijn linkerarm om haar schouder slaat. Wat hij dan uiteindelijk ook maar doet.

Djinn moet erom giechelen. 'You Tarzan, me Jane', zegt ze. 'Weet je nog?'

Milan knikt. Maar hij voelt zich bepaald geen Tarzan, meer Ken, die plastic barbie van zijn zus.

Even weten ze niks te zeggen. De wind laat de blaadjes in de boom zachtjes ritselen, een geluid dat je anders nauwelijks hoort.

'Ik wou...'

Ze zeggen het allebei tegelijk. Djinn moet weer giechelen.

'Zeg jij maar.'

'Nee jij.'

'Nee jij, Milan.'

Hij haalt iets uit zijn jaszak. 'Ik wou je iets geven,' zegt hij.

'Echt?' Ze is verrast en maakt het pakje nieuwsgierig open. Het is een leren armbandje, versierd met visjes.

'Jouw sterrenbeeld toch?' zegt hij. Hij heeft lang staan aarzelen in de sieradenwinkel, want ze hadden zo'n zelfde met hartjes. Maar dat vond hij toch te softy om te geven.

Ze doet hem om haar dunne pols en steekt hem uit om te keuren. 'Mooi, past precies.'

'Nou jij,' zeg hij.

'Wat, nou jij?'

'Je wou toch ook iets zeggen?'

'O ja.'

Ze krijgt een kleur. 'Ik heb geen cadeautje… Ik wou je iets laten zien.'

Ze stroopt de mouw van haar vest omhoog en gaat een beetje scheef zitten zodat hij haar bovenarm kan zien. Ze heeft een tattoo. Zíjn letter, een mooie gekrulde M.

Hij schrikt er wel een beetje van. 'Je bent gek,' zegt hij, 'daar zit je nou je hele leven mee. En als je nou een ander…'

'Sssst.' Ze legt haar vinger tegen zijn lip. 'Daar denk ik niet aan. En trouwens…' Daar heb je dat Djinn-giecheltje weer. 'Die tattoo is nep, man. Gewoon een plakplaatje, zit bij de waspoeder. Als je lang in bad zit, gaat ie eraf. Maar dat geeft niet, ik krijg de M's van Gaby, in ruil voor mijn J's, want zij is op Jorian.' Ze slaat zogenaamd geschrokken haar hand voor haar mond. 'Oef, dat mocht ik niet zeggen.'

Milan haalt zijn schouders op. 'Ik kan het toch niet meer doorvertellen,' zegt hij. Het klinkt zieliger dan hij bedoelt. Djinn pakt zijn hand vast en drukt hem tegen haar schouder. 'We gaan elkaar heus wel zien. Het is niet zó ver weg, naar Velder.'

'O nee? Twee uur fietsen minstens, op die krakfiets van mij.'

'Over vier jaar heb je misschien wel een brommer.'

'Daar heb ik nou niks aan. En trouwens, ik krijg geen brommer van mijn ouders. Die zijn zo bang.' Hij lacht een beetje scheef. 'Én bang, én de baas, dat zijn ze.'

'Nou, dan ga je op kamers als je zestien bent. Net als mijn broer. Met zestien ben je volwassen en dan hebben ze niks meer over je te zeggen.' Djinn schopt met haar benen alsof ze daardoor de tijd een duwtje kan geven. 'Vier jaar zijn zo voorbij. Van groep vijf tot groep acht ging toch ook best snel?'

'Pfff, ik weet het niet hoor. En al die tijd loop jij met die M op je arm?'

'Ben ik wel van plan.'

Ze trekt haar mouw weer over de tattoo en probeert wat te verzitten. Maar dat gaat niet.

'Ik krijg kramp,' zegt ze. 'Ik wil hieruit, help eens effe.'

Ze draait zich om en steunt met haar handen op Milans schouders. Heel dichtbij is haar gezicht nu, hij ziet de spikkels in haar ogen, hij ziet zichzelf erin. En zij kijkt naar hem. Het is een plechtig moment, een moment om te kussen, maar hij verliest zijn evenwicht en ze vallen bijna twee takken omlaag uit de boom. Djinn moet er heel hard om lachen. 'Gekkie,' roept ze, 'hou me dan ook vast.'

Maar de betovering is verbroken, het echte afscheid is genomen, dat voelen ze allebei. 'Je bent zelf gek,' roept hij. 'Wie het eerst bij de hoek is.' En hij rent weg, en zij holt gierend achter hem aan. Op het hoekje van haar straat blijven ze staan. 'Nu wil ik een kus hoor,' zegt ze. 'Maar wel ogen dicht.'

En dan geeft hij een echte kus, voor het eerst van zijn leven. Een kus op de zachte lippen van Djinn. Het is een fijn gevoel en het duurt veel te kort. Precies tegelijk doen ze hun ogen weer open. Nu moet ze iets liefs zeggen, dat hoort toch zo, dat zie je toch altijd in films. Maar Djinn is altijd anders dan hij verwacht. Ze trekt een gek gezicht, met haar tong achter haar wang en schele ogen. Het brengt hem van zijn stuk. Hij is niet in de stemming voor grapjes.

'En als ik nou niet ging verhuizen, als we nou maandag weer samen in de klas…' Zijn stem klinkt schor. Djinn schudt haar hoofd. 'Dan hadden we niet gezoend, natuurlijk,' zegt ze. 'Maar nu moest het wel, toch?'

31

Hij knikt. Ja, zo is het precies. Het moest wel. Morgen zou het immers te laat zijn geweest. 'Ik vergeet het nooit meer,' zegt hij.

'Dat zeggen ze, dat je het nooit vergeet, je eerste kus.'

Ze knikt, ze lacht. Het zingt in hem rond, als tokkelende snaren. Heel zacht.

'Nou, dan ga ik maar.' Het klinkt stoer, maar hij weet: dat is nu eenmaal Djinns manier om niet te hoeven huilen.

'Ja.'

'We mailen.'

'We mailen.'

'En we bellen.'

'En we bellen.'

'En als we de maan zien denken we aan elkaar.'

'Als we de maan zien én de zon.'

Ze moet weer lachen. 'Dan wordt het wel heel erg vaak,' zegt ze praktisch. 'Maar nou ga ik echt hoor.'

Ze tikt hem nog een keer met dat vertrouwde gebaar op zijn arm en loopt net zolang achterstevoren haar straat in tot ze het gangetje in moet. Nog een zwaai en Milan is alleen.

Mailen en zo

Mail van Djinn aan Milan
....

Hoi Milan, het is hier supersaai zonder jou. Ik ben gisteren met Vivian mee naar huis gegaan, ze wil alleen maar televisie-kijken of spideren. Jouw tafel staat nu achter in het lokaal. Iedereen die een tijdje alleen wil werken mag er gaan zitten. Dus je raadt wel wie er het meeste zit. Ik heb stiekem aan de onderkant onze letters erin gekrast. Die ene vlek, weet je wel, van toen we met ecóline moesten verven, lijkt precies een har-tje. Het is ons geheime teken. Morgen gaan we repeteren met de band. Het lijkt me niks worden, zonder jou. Maar Luuk wil per se meedoen met dat Idolsgedoe.
Hoe is het bij jou op school? Leuke meester? Leuke meiden? (Haha). Meester Jop is een beetje duf vandaag. We mogen al de hele middag doen wat we zelf willen. Hè, nou staat Dicky ach-ter me te zeuren dat hij op internet wil. Had ik thuis maar een fatsoenlijke computer, dan konden we ook skypen. Maar ja. Groetjes van de hele groep en vooral van mij. Djinn xxxxxxx.

Mail van Milan aan Djinn
....

Zo saai als hier kan het bij jullie niet zijn. Het enige goeie dat ik aan die hele verhuizing heb overgehouden is de nieuwe com-puter. Die staat wel in de huiskamer, want iedereen moet erop kunnen. Mijn moeder snapt nergens iets van, dus ik moet de hele tijd dingen oplossen. Heeft ze weer per ongeluk iets ver-wijderd of verkeerd opgeslagen. Vrij irritant.
Op school is het ook waardeloos. Bijna allemaal meiden in de

groep, van die klitters, weet je wel. En ik heb geen meester, maar een juffrouw, ook dat nog. Ze denkt dat ze leuk is. Weet je wat ze zei, toen ik voor het eerst binnenkwam. 'Jongen, je komt als geroepen. We zitten te springen om een goede voetballer in ons schoolelftal.' Een goede voetballer! Ik heb haar en dat hele zootje van de groep meteen maar uit de droom geholpen dat ik daar geen zin in heb. Sindsdien kijken ze me aan of ik een buitenaards wezen ben. Kunnen er niet bij dat er iemand bestaat die voetbal haat. Maar ja, ze doen hier niks anders volgens mij, in de pauze, na school, in het weekend. En als je niet meedoet sta je wel alleen. Nou ja, wat kan mij het schelen.

En dan mijn kamer. Mijn moeder zegt steeds maar dat jullie jaloers zouden zijn op de ruimte. Ik heb namelijk de hele zolder. Plaats genoeg om te repeteren met een band. Maar er is hier geen band, dus wat heb ik eraan.

Silke schijnt het wel naar haar zin te hebben op school, ze is vanmiddag al naar een feestje. Ze mag op paardrijles natuurlijk. Maar wat moet ik? Ik ga dus niet voetballen, ook niet tijdelijk 'om wat mensen te leren kennen', zoals mijn vader dat uitdrukt.

Nou weet je het, ik zou meteen terug willen. O ja, kun je een foto mailen. Dat dacht ik vandaag, dat ik niet eens een foto van je heb. Heb je mijn pasfoto nog?

Brief van Djinn aan Milan

Hoi Milan,

Hoe je foto's moet scannen op de computer weet ik niet. Meester Jop wil het me wel een keer uitleggen, maar deze week is er geen tijd voor. Daarom stuur ik nu een brief. Deze foto is pas gemaakt, op de bruiloft van tante Anneke. Ik sta er niet al te mooi op, maar ik heb geen andere. Mijn moeder is hopeloos, ze wil geen computer en geen digitale came-

ra. Ze zegt dat ze die dingen niet kan kopen omdat ze het alleen moet verdienen. Ja, waarom is ze dan gaan scheiden. Mijn vader heeft wel een laptop, maar daar mag ik niet aankomen. Alleen als hij erbij is. Ja, dan ga ik jou niet schrijven, als hij mee zit te gluren.

Kun je geen keeper worden in dat elftal, hoef je niet zo hard te rennen (grapje).

Jorian heeft een nieuw nummer geschreven. Ik vind het niks, jouw liedjes zijn veel mooier. Ik weet trouwens niet of ik nog wel door ga met de band. Weet je, ze kunnen geen maat houden. Dat viel nooit op omdat jij altijd telde en mee stampte. Het is nu zo'n geklooi en altijd ruzie.

Nou ga ik deze brief posten. Wel onder de postzegel kijken, daar staat iets geheims.

Vlv (VEEL LIEFS VAN) Djinn

(ps: Morgen mail ik weer op school)

(ps: Hoe heten al die voetballers?)

Mail van Milan aan Djinn

....

De foto is best leuk. Mamma zegt dat ik een lijstje moet kopen, maar er is hier in dit hele dorp geen winkel waar je zoiets kunt krijgen. Dus hangt hij op mijn prikbord (met de verhuizing van ome Sjaak gekregen). Waarom wil je de namen van mijn groep weten, je kent ze toch niet. Ik ken ze nog niet eens allemaal. Ik moet een spreekbeurt houden, over twee maanden of zo. Doe ik die over de gitaar. Weten ze hier veel, dat ik hem al een keer gehouden heb.

Ik oefen nu meer klassiek gitaar, best moeilijk, maar aangezien ik niks anders te doen heb... Ik krijg er alleen weer blaren van op mijn vingers, net als toen ik pas begon te spelen. Tot mails weer morgen, vlv Milan

(Ik zag niks onder de postzegel, het scheurde er verkeerd af).

Mail van Djinn aan Milan

....

Hoi Milan, je moet de postzegel ook eerst boven heet water houden, suffie. Dat ie loslaat. Ik weet dat van mamma. Pappa schreef haar vroeger altijd van die brieven. Nu zeker naar zijn nieuwe vriendin, haha. Je kunt toch wel gewoon die namen opschrijven, als ik dat nou leuk vind. Goed dat je klassiek gitaar leert, kan dat wel zonder leraar. Ik probeer het ook wel, maar al die toonladders, krijg ik wat van. HEEL vlv Djinn

Mail van Milan aan Djinn

....

Jij je zin dan. Dit zijn alle jongens van mijn groep.

Rocky, rood haar, sproeten. Die woont bij de manege in de buurt. Die rijdt daar op een tractor rond.

Sam, echt een patser, horloge nog dikker dan zijn arm.

Janpeet, heeft volgens mij alleen maar voetbalkleren, komt hij mee naar school.

Pepijn, zit ik naast, slaapt veel.

Dave, is de spits van het elftal, ring in zijn oor.

Jonas, weet ik niks over. Bemoeit zich nergens mee.

Aan de meiden begin ik niet, zijn er veel te veel.

Ik heb de nieuwe cd van Moonrock gedownload. Met die gitaarsolo. Ik bak er voor jou ook wel een.

hvl Milan

(O ja, we zitten zonder auto. Tijdelijk dan. De versnellingsbak kapot, die ouwe kar kon zo naar de sloop. Mijn vader wil een andere, maar hij wil eerst een carport bouwen. Als het maar niet te lang duurt, allemaal. Ik wil hier wel eens weg!

Telefoon

Zo gaan er weken voorbij, met tientallen mailtjes over en weer. Het is Milan niet genoeg. Hij wil terug naar de stad, hij wil praten met Djinn, lachen met Djinn, kijken naar Djinn. Maar zijn vader stelt de nieuwe auto telkens uit. 'De carport kan ik beter in het voorjaar bouwen.' 'Als we eerst eens nieuwe fietsen kopen, die hebben we hier harder nodig. Die auto kan wel wachten.' Ja, hoe komen ze dan ooit eens terug in de stad!

Dan belt Milan Djinn op, om tenminste haar stem te horen. Maar ze is er bijna nooit. 'Spelen met de band', zegt haar moeder. Of 'bij een vriendinnetje'. Of 'boodschappen doen'. Milan gelooft er niks van. Djinns moeder wil gewoon dat ze hem vergeet. Zoals zíjn moeder ook steeds zegt dat hij beter kan proberen nieuwe vrienden en vriendinnen te krijgen, dan over vroeger te treuren. Ze heeft makkelijk praten! In zijn groep zit niemand zoals Djinn, en zelfs niemand zoals Luuk en Jorian. Niemand met wie hij bevriend zou willen zijn.

Hij wordt stiller en stiller. Zijn eten laat hij staan, ook al kookt zijn moeder nog zo vaak spaghetti. Zelfs zijn gitaar raakt hij nauwelijks nog aan. En hij voelt zich gewoon ziek van ellende. Vandaag ook weer. Het is een mooie woensdagmiddag in de herfst. Milan is alleen thuis, Silke is op de manege, ze mag mee met een buitenrit. Voor het eerst voelt Milan iets van jaloezie. Silke heeft het leuk en gezellig en hij zit daar maar thuis in zijn eentje. Maar dan gaat plotseling de telefoon.

- Met Milan.
- Met Djinn!
- Djinn! Ben jij het?

- Ja, dat hoor je toch.
- Ja, maar…
- Is het goed als ik zondag kom?
- Hè?
- Is het goed als ik zondag kom! Wat doe je sloom.
- Kom je zondag? Maar hoe…
- Mijn moeder en die nieuwe vriend, Jaap heet die, hebben een feest ergens bij jou in de buurt. Ze kunnen me moeilijk alleen thuis laten zitten, dus ik heb het voor elkaar. Dan ben ik om drie uur bij jullie en ze halen me om zes uur weer op.
- Dat is gaaf. Breng je gitaar mee.
- Ja, dat had ik ook al bedacht.
- Djinn…
- Ja…
- Nee niks. Tot zondag.
- Ik wil wel die nieuwe school zien.
- Pfff… nou, dat weet ik nog niet hoor.
- Dag.
- Dag.
- Leg dan neer.
- Nee jij.
- Nee jij.
- Hihi…
- Tot dan dan.
- Tegelijk neerleggen?
- Hihi…
- Een twee drie… tutututu!

Bijna gelukkig

 Milans hart maakt een sprongetje en hij voelt zich opeens zo licht. Dat er nou niemand is aan wie hij kan vertellen dat Djinn komt!

Hij vliegt naar boven en voor het eerst kijkt hij eens goed rond in zijn eigen kamer. 't Is er een bende. En ongezellig ook. Hij heeft er gewoon nooit iets aan gedaan. Maar nu kijkt hij met Djinns ogen en ziet kale muren, een stoel vol vuile kleren, en een vloer bezaaid met stinksokken.

Hij begint als een gek te ruimen. Propt al zijn kleren in de wasmachine, vist een paar onderbroeken onder zijn bed uit, legt zijn boeken op een stapel, en hangt een scheefgezakte poster recht. Dan pakt hij voor het eerst sinds weken zijn gitaar.

Hoe was het ook weer, dat liedje voor Djinn, dat hij een eeuwigheid geleden had bedacht? *Colours* had hij het genoemd. Kleuren. *Colours, colours, everywhere...* Ja, zo begon het. Milan slaat een C akkoord aan. Jee, wat klinkt dat vals. Eerst maar eens even stemmen. Hij zet zijn raam open en gaat in de vensterbank zitten. Terwijl hij de snaren aandraait komt zijn moeder binnen. Ze kijkt verrast rond. 'Zo ken ik je weer,' zegt ze blij. 'Begin je je eindelijk een beetje thuis te voelen?'

'Djinn komt zondag.' Milan buigt zich diep over zijn gitaar want hij voelt dat hij een kleur krijgt. 'Ze heeft gebeld. Dus ik dacht... een beetje ruimen, hè?'

'Aha. Vandaar dus.' Mamma lijkt een béétje teleurgesteld, ze had natuurlijk liever gehad dat hij een nieuwe vriendin had opgeduikeld. Maar dat zegt ze niet. Ze mag Djinn immers ook heel graag. 'Dat wordt dan taart bakken zaterdag,' zegt ze. 'Leuk om Djinn weer eens te zien. Maar nu ga ik Silke halen. Tot straks.'

Milan gaat verder met stemmen. En gek, tegelijk met zijn gitaar verbetert ook zijn eigen stemming. Heel zacht speelt hij de melodie.

Colours, colours, everywhere
I will buy you
a little pink icecream
walking to the deepblue sea.

Klinkt goed. Milan voelt zich bijna weer gelukkig en werkt noot na noot het liedje uit. De zon schijnt op zijn wangen, de wind streelt door zijn haar. Pas na een uur houdt hij op met spelen, slaat zijn armen om zijn gitaar en laat zijn kin erop rusten. Hij kijkt naar buiten, ziet voor het eerst hoe mooi de bomen zijn verkleurd. Verderop staat de oude fabriek, de zon schittert feestelijk in de ramen, en op het dak zit een hele rij kwetterende vogels. Alles wat lelijk is lijkt wel betoverd. Zelfs de oude rozenstruik in hun voortuin staat weer in bloei. En dan... Milan schrikt op en staart verbaasd naar de overkant. Daar staat, geleund tegen de dikke eik, een meisje. Een meisje met lang, donker haar. Ze staat daar maar naar het huis te kijken. En naar hem! Hoe lang al? Ze komt hem vaag bekend voor, maar ze zit niet bij hem op school. En dan weet hij het weer. Dat meisje was in hun huis toen zij er voor het eerst kwamen. Eenmaal betrapt was ze er als een wilde kat vandoor gegaan. Wie is dat kind? Waarom staat ze daar?
Nu ze voelt dat ze is ontdekt, grijpen haar handen als klauwtjes naar de boom. Twee, drie seconden, staren ze elkaar aan, Milan en het meisje. Dan draait ze zich snel om, rent weg en laat een spoor van opdwarrelend herfstblad achter.
Hij blijft nog even peinzend zitten, terwijl hij zachtjes het nieu-

we liedje tokkelt. Maar dan hoort hij Silkes hoge stemmetje, ze zit bij mamma achter op de fiets met haar rijlaarzen aan en haar cap nog op. Ze zwaait naar hem. De zon is intussen achter de fabriek verdwenen en opeens is het koud. Milan doet zijn raam dicht en zet zijn gitaar weg. Vijf minuten later zit hij beneden een paard te tekenen voor Silke en is hij het vreemde meisje vergeten.

Zijn moeder, zichtbaar opgelucht dat hij weer een beetje tot leven is gekomen, bakt speciaal voor hem friet en kroketjes. En ze zoekt alvast een recept van een lekkere taart, voor als Djinn komt. Het wordt zowaar gezellig. En de volgende dag lijkt het zelfs op school een beetje draaglijk, nu hij iets leuks heeft om aan te denken. Voor het eerst laat hij zich tot een potje voetbal verleiden, omdat Janpeet naar de dokter moet en er nu een speler te weinig is. Maar ja, denken ze natuurlijk meteen dat hij het geweldig vindt. Vragen ze of hij zondagmiddag naar het veldje komt. Nou, hij heeft wel iets beters te doen, gelukkig. 'Wat dan?' vraagt die uitslover van een Sam ook nog. Wat heeft die ermee te maken?

'Gewoon, ik kan niet,' zegt hij, springt op zijn fiets en rijdt hard weg. Als hij nog even achterom kijkt ziet hij hoe ze hem beteuterd nakijken. Ze dachten zeker dat ze het al voor elkaar hadden door dat ene potje voetbal, dat hij er nu voortaan bij wilde horen. Nou, mooi niet dus.

Mail van Djinn aan Milan, donderdag

· ·

Hoi Milan,
gaaf dat we elkaar zondag weer zien. Je moet alleen niet schrikken, ik heb mijn haar af laten knippen. Ik heb er ook

highlights in, blauw en rood. Mamma heeft het zelf gedaan en we vinden het goed gelukt.

Tot zondag dan. Morgen kan ik niet mailen, we gaan met de groep naar de bieb. Er komt een schrijver en we moeten dan zelf gedichten maken. Misschien rolt er een mooie songtekst uit, maar dat zal wel niet de bedoeling zijn.

Witlof. Djinn

Oja, er is gisteren een nieuwe jongen in de groep gekomen. Hij heet Davy en hij speelt ook keigoed gitaar. Helemaal te gek. Morgen komt hij al oefenen met de band.

Die laatste regels leest Milan toch wel minstens zes keer. Hij weet niet hoe het komt, maar hij voelt een steek van jaloezie. En die doet écht pijn.

De band... In zijn hart is het nog altijd zíjn band. *Milans Band*. Maar dat is onzin, dat weet hij zelf ook wel. Hij is weg en komt niet terug. Dus pakken ze een ander. En waarom ook niet, als ie goed is. Keigoed zelfs, volgens Djinn. Ze hebben groot gelijk. Zo probeert hij de pijn voor zichzelf weg te praten. Hij wil gewoon weer blij zijn omdat Djinn zondag komt. Maar het blijft knagen, die Davy heeft er toch iets aan verpest.

Sproetenkop

'Milan, kun jij Silke voor één keer naar de manege brengen? Sjaak komt vanmiddag een bestelling halen en ik ben nog lang niet klaar.' Mamma staat met vuurrode wangen midden tussen de zakken drop en toverballen. Ze werkt nog steeds voor ome Sjaak, die inmiddels wel drie marktkramen heeft. Het werk stapelt zich op en ze komt handen te kort.

Milan trekt zijn neus op. 'Naar de manege? Hè nee. Laat mij die snoepzakken maar vullen, dat doe ik dan liever.'

Mamma schudt haar hoofd. 'Ik moet ook nog boodschappen doen. We zouden vanmiddag een taart bakken, toch? Toe nou Milan, voor één keer. Dat komt me nou echt beter uit.'

'Goed dan,' zegt Milan met een zucht. Echt zijn moeder. Doet alsof ze iets vráágt, maar het ís geen vraag, het is gewoon een bevel.

Even later zeult hij Silke achterop zijn fiets naar de manege. 't Is niet eens zo ver, maar hij heeft de wind tegen en Silke is best zwaar. 'Volgende keer fiets je maar zelf!' moppert hij. 'Dat kun je best.'

De rijles duurt een uur en Milan verveelt zich dood. Wat vindt Silke daar nou aan, eindeloos rondjes rijden in die zandbak. En dat twee middagen per week! Hij blijft even kijken, maar na het zoveelste rondje draait hij zich om en loopt de stal in. Daar staan, aan weerszijden van het gangpad, nog wel twintig paarden hooi te kauwen, met hun hoeven te schrapen of gewoon maar een beetje te suffen. Eén pony steekt verlangend zijn nek naar hem uit. Maar Milan, niet gewend om met paarden om te gaan, durft niet dichterbij te komen.

'Hé, Milan!'

Een jongen komt een stal uit, met een riek en een emmer vol stront. Het is Rocky, uit zijn klas. Rocky met de rooie haren en de duizend sproeten. Hij zet zijn emmer neer. 'Je zus rijdt hier, hè?'

Milan knikt. Hij is niet echt verrast. Hij heeft Rocky al eens eerder in de buurt van de manege gezien, bij de buitenbak.

'Woon je soms hier?'

'Nee, wel vlakbij. Op een boerderij. Daar ergens.' Rocky wijst vagelijk met zijn riek. 'Maar zaterdags werk ik hier. Stallen uitmesten, drinkbakken schoonmaken. En ik mag ook wel eens een paard uitrijden.' Hij loopt naar de bedelende pony en klopt het dier zachtjes op de hals. 'Je bent braaf, Pipo.'

Dan pakt hij zijn emmer weer op. 'Houd jij ook van paarden?'

'Niet zo.' Milan voelt zich een beetje onbeholpen. Die Rocky lijkt zo sterk, die heeft gewoon spierballen van al dat werken.

'Die zus van jou anders wel. Dat wordt een goeie.' Rocky knikt wijs en pakt zijn emmer op. 'Maar mijn hobby is het ook niet echt, hoor. Ik kan hier wel mooi iets verdienen. Ik spaar voor...'

'Hé, sproetenkop, help effe met het hooi!'

Een lange man in een overall komt binnen, een grote baal hooi op zijn nek. 'Er staan nog dertig pakken. Moeten allemaal de zolder op.'

'Ik kom eraan.' Rocky lijkt zich niet druk te maken om dat 'sproetenkop', grijnst naar Milan en loopt met de man mee naar een ladder achter in de stal. 'Tot maandag!' roept hij nog over zijn schouder.

'Tot maandag.' Milan ziet hoe Rocky de ladder opklimt. De lange man prikt de baal hooi aan de riek en steekt hem omhoog. Rocky schuift hem de zolder op. Best zwaar werk, denkt Milan. Ik zou er geen zin in hebben.

Hij wil teruggaan naar de lesbak, als pony Pipo zijn nek weer uitsteekt. Milan aarzelt nog even, maar aait hem dan heel vlug over zijn neus. Dat voelt zachter dan hij dacht. Als een kussentje van fluweel. Natuurlijk, hij houdt liever zijn gitaar vast, maar dat zijn zusje graag een pony heeft is toch niet helemaal krankzinnig.

Balen

 'Wat ga je doen morgen, met Djinn?'
Mamma roert stukjes appel door het beslag, terwijl Milan de taartvorm staat in te vetten.
'Ze wil de school zien.'
'Ja, en verder?'
'We gaan spelen. Djinn neemt haar gitaar mee. We gaan een nieuw liedje uitproberen.'
'Goed idee!' Mamma knikt en giet het beslag in de vorm. 'Wel jammer, hè, dat je hier niemand hebt om mee te spelen. Is er bij jou op school nou echt niemand die muziek maakt?'
'Niet dat ik weet. Ja, in groep vier hebben ze blokfluitles. En in groep zes zit een kind met een accordeon. Die speelt wel eens op de weeksluiting. *Boer wat zeg je van mijn kippen, altijd is Kortjakje ziek.* Daar heb ik niks aan.'
'Tja…' Mamma schuift de taart in de oven. 'Ik zal nog wel eens informeren of je ergens op les kunt. Er zijn ook muziekleraren die aan huis komen. Maar dan moet je wel meer gaan spelen, ik dacht al dat je er niet veel meer om gaf, om die gitaar.'
Milan haalt zijn schouders op. Een leraar aan huis. 't Is beter dan niks, maar snapt mamma niet dat hij in een band wil spelen?
Als ze nou een auto hadden, kon pappa hem toch best één keer in de week naar de stad brengen? Dan kon hij gewoon meespelen, dan kon *Milans Band Milans Band* blijven. Maar pappa maakt geen haast. Elke dag zeurt hij erover hoeveel geld ze al weer hebben uitgespaard aan benzine, verzekering, belasting en zo. 'En wat we nú uitsparen kunnen we straks bij een nieuwe auto leggen, snap je. Nog even wachten, dan kopen we er

een met airco en navigatie. Geduld, knul. Geduld.'

Milan zucht, maar dan denkt hij weer aan Djinn. Morgen zal het in elk geval leuk worden. Hij gaat nog maar eens een uurtje lekker zitten spelen.

Voor hij zijn gitaar pakt kijkt hij nog even uit het raam. En als vanzelf dwaalt zijn blik naar de eik aan de overkant. Het meisje met het zwarte haar is er niet, gelukkig. Wie weet hoe vaak ze al heeft staan gluren als hij het niet in de gaten had.

Het begint al te schemeren. Milan schuift zijn gordijn dicht en doet de lamp aan. Gezellig is het, nu hij alles zo netjes heeft opgeruimd. Hij pakt de gitaar op zijn knie, en speelt zijn *Colours:*

Colours, colours everywhere
I will buy you
a little pink icecream,
walking to the deepblue sea.

In gedachten hoort hij de stem van Djinn erbij. Dat wordt echt goed. Het mooiste liedje tot nu toe. Hij speelt verder.

And the purple sun is shining,
on the yellow sand.

Milan knikt tevreden. En probeert na dit melodieuze begin een overgang naar een strakker ritme... Dzjing! Dzjing! Dzjing! Dzjing!

Hij is zo ingespannen bezig dat hij niet merkt dat zijn moeder binnenkomt.

'Milan?'

'Mmmm.' Hij speelt gewoon verder, hij zit zo lekker in het lied.

'Milan, luister.'

Verstoord kijkt hij op. Kunnen ze hem nou niet even met rust laten?

'Je hebt de telefoon niet gehoord, zeker.'

'Telefoon? Nee. Hoezo?'

'Djinn heeft gebeld. Niet zo'n leuk bericht. Het ehhh... Het gaat niet door, morgen.'

'Niet!?' Hij schudt verbaasd zijn hoofd. 'Maar Djinn zei toch...'

'Djinns moeder heeft een ongelukje gehad. Hoe precies weet ik niet, maar ze is gevallen met de fiets. Ze heeft een hersenschudding, dat vermoeden ze tenminste. En nu kan ze niet naar dat feest.'

'Sjips! Dat moet mij nou weer overkomen.' Milan gooit zijn gitaar op zijn bed. 'Altijd als ik iets leuks heb, hè!'

'Ja, dit is echt pech. Maar niemand kan er iets aan doen. Weet je wat, bel Djinn even. Voor haar is het net zo goed een tegenvaller. En vergeet niet Iene beterschap te wensen.'

Wat kan Milan anders doen. Hij belt.

- Hallo, met Djinn. Ben jij het, Milan?

- Ja, Pech hè? Met je moeder.

- Nou, valt wel mee, geloof ik. Maar ja, dat feest gaat nou effe niet door. Balen.

- Balen ja. Kan het niet volgende week of zo? Dat jullie alledrie hierheen komen. Er hoeft toch niet per se een feest te zijn?

- Ja, ik weet niet... Die vriend van mijn moeder is niet zo... Die heeft bijna elk weekend wát. En de auto is van hem. Kun jij niet hier komen?

- Ja hoe! We hebben óók geen auto. Maar ik verzin wel wat. Als ik de kans krijg... Wat zeg je?

- De bel gaat. Ik ga hangen. Doeg!

 48

- Maar...
- Tutututu...

Teleurgesteld blijft Milan staan, met de telefoon in zijn hand. Dus het was helemaal niet zo erg met Djinns moeder. Hadden ze dan toch niet kunnen komen? Als Djinn een beetje meer had aangedrongen? Ze zei wel dat ze baalde, maar zo klonk ze helemaal niet. Echt Djinn, die was zo anders dan hij, die zeurde nooit lang door over iets wat tegenviel. En daarom was ze nou juist zo leuk.

Ik ga erheen, denkt Milan. Ik wil Djinn zien. En dan rijst er een plan in zijn hoofd.

De volgende woensdag is hij vrij omdat zijn juf een cursus heeft. Dan moet het te doen zijn, dat plan. Hoe dan ook!

Geheim

Hij heeft er met niemand over gepraat. Want hij zou nooit toestemming hebben gekregen voor wat hij gaat doen. Op de bewuste vrije woensdag, rijdt hij om half negen zijn fiets uit het schuurtje. Pappa is naar zijn werk, mamma is met ome Sjaak naar een snoepbeurs, Silke is naar school. En hij hoeft die middag niet op te passen want ze gaat met een vriendinnetje mee. Dus hij heeft de hele dag voor zich alleen. Met behulp van de routeplanner op internet heeft hij uitgerekend dat hij het in twee uur en een kwartier kan halen. Met de auto is het ruim vijftig kilometer naar de stad, maar met de fiets kun je over allerlei weggetjes binnendoor, dat scheelt zowat de helft. Hij heeft de route zo goed mogelijk opgeschreven, en het is mooi weer, dus wat kan hem gebeuren? Om elf uur zal hij zijn oude groep verrassen door zomaar binnen te stappen. En 's middags kan hij dan een keer mee oefenen met de band. Als hij om half vier weer op de fiets stapt, is hij voor zes uur thuis. Het is een prachtig plan.

Zo fietst hij even later het dorp uit. Het is vijf kilometer naar het volgende dorpje en het gaat lekker, met de wind mee. Nog geen kwartiertje en hij is er al. Nog een dorpje verder, en hij is al 12 kilometer van huis. Nu komt er een stuk waar hij minder zeker van is. Een natuurgebied met bos en hei. Maar het is zo simpel. Overal staan wegwijzers en het fietspad is lekker glad geasfalteerd. Het gaat bijna vanzelf.

Stil is het wel. Hij fietst een half uur moederziel alleen dwars door een uitgestrekt heideveld, en dat is eigenlijk best eng. Nu schieten hem allerlei gruwelijke verhalen te binnen, over nare mannen, valkuilen, wilde zwijnen... O, als zijn ouders zouden weten waar hij was. Even speelt hij met de gedachte om terug te gaan. Maar dan ziet hij in de verte al weer een kerktorentje. Hij haalt opgelucht adem. Daar is de bewoonde wereld. Nu wordt het ook op de hei wat drukker. Een meneer laat zijn hond uit en twee mevrouwen op skeelers zwaaien hem vriendelijk goedendag. Er is echt niemand die hem pakken wil, maar toch is hij wel blij dat hij even later op een bankje in het dorp kan uitrusten. Pfff... Hij heeft nog nooit zo ver gefietst en is best moe. En zijn billen doen pijn van dat harde zadel. Hij haalt het briefje uit zijn zak en rekent uit waar hij is. Toch zeker al wel op de helft. Als hij elf uur wil halen moet hij toch echt meteen verder. Met stijve benen stapt hij weer op. Ai, wat doet dat zadel pijn. Maar hij klemt zijn tanden op elkaar en zie je wel, even later heeft hij het ritme weer te pakken. Nog een half uur, en dan is hij op bekend terrein. Dan komt hij op weggetjes waar hij vroeger met zijn vader wel eens ging fietsen. Het is toch eigenlijk een fluitje van een cent. Hij had het al veel eerder moeten doen.

Iets later dan gepland staat Milan toch wel enigszins afgemat op het schoolplein. Vooral het laatste stuk was tegengevallen. Hij was helemaal aan de andere kant de stad binnengekomen, was een paar keer verkeerd gefietst, had alle stoplichten tegen. Maar nu is hij er dan toch. Met een rammelende maag en een droge tong van de dorst. Stom ook, om zonder eten en drinken op pad te gaan. Dat weet hij in elk geval voor de volgende keer. Op de gang is het stil. Milan loopt eerst naar de toiletten om de kraan leeg te drinken. Heerlijk, dat koude water. Als hij in de spiegel kijkt moet hij lachen. Zijn haren staan door de wind recht overeind, hij lijkt wel een bezem. Zo kan hij Djinn toch niet onder ogen komen. Hij maakt zijn handen nat en probeert de hele zaak een beetje te pletten. Zo, klaar voor de verrassing.

Weerzien

 Als hij langs Silkes oude groep komt gaat net de deur open en de juf komt naar buiten. Maar het is zeker een nieuwe, want hij kent haar niet.

'Zoek je iemand?' vraagt ze.

Milan schudt zijn hoofd. 'Ik ga naar groep acht,' zegt hij.

'Dan moet je daar zijn,' zegt ze en ze wijst naar buiten. Nu ziet Milan een houten gebouwtje staan dat er vroeger niet was. 'Een noodlokaal,' zegt de vreemde juf. 'We groeien hier de pan uit.' En dan loopt ze snel verder.

Milan loopt de deur uit, en steekt de speelplaats over. Jammer, nou ziet hij zijn oude lokaal niet meer. Nou ja, misschien kan dat straks nog even.

Binnen is het muisstil. Zijn ze er wel? Dat moet wel, aan de kapstok hangen de jassen. Milan herkent meteen die van Djinn, met dat bont langs de capuchon. Die had ze vorig jaar al.

Hè, wat klossen zijn schoenen op die houten vloer. Op zijn tenen loopt Milan verder. Er is maar één deur, dus daarachter zal groep acht wel zijn. Hij voelt zijn hart kloppen en op zijn gezicht verschijnt een brede grijns. Wat zullen ze opkijken, allemaal.

Hij haalt diep adem en dan klopt hij op de deur. Hij wacht niet af maar gaat meteen naar binnen. Niemand kijkt. Ze zitten allemaal in doodse stilte over een stuk papier gebogen.

'Hallo! Kennen jullie me nog?' roept hij dan maar. Geschrokken kijken ze op. Een enkeling roept: 'Milan!' Maar meteen komt meester Jop met zijn vinger op zijn lippen aangelopen. Hij pakt Milan bij zijn schouder en neemt hem mee de gang op.

'Ze zijn een toets aan het maken,' zegt hij. 'Een proeftoets voor de Cito. Maar leuk dat je er bent, Milan. Je zult alleen even moeten wachten tot ze klaar zijn. Een half uurtje schat ik.'
Meester Jop ziet wel de teleurstelling op Milans gezicht. 'Marcus vindt het vast leuk om je te zien. Vraag maar of hij iets te drinken heeft voor je.' Dus steekt Milan weer over naar het oude gebouw, om Marcus te zoeken. De conciërge is in het keukentje bezig de afwasmachine in te laden, zoals gewoonlijk na de pauze. Maar daar houdt hij meteen mee op als hij ziet wie er is. Hij slaat Milan op zijn schouder, schenkt limonade voor hem in en legt er een grote gevulde koek bij. 'Die juffen hier worden er toch maar dik van,' zegt hij. 'Maar jij bent mager geworden, Milan! En wat zeg je, ben je helemaal op de fiets! Vond je moeder dat goed? 't Is toch niet naast de deur.'
Maar dan wordt hij weggeroepen en kan hij gelukkig niet verder vragen.
Stilletjes knabbelt Milan zijn koek op. Daar zit hij nu. 't Valt toch een beetje tegen allemaal. Hij wil het zichzelf niet toegeven, maar hij is doodmoe.
Als hij op tijd thuis wil zijn moet hij toch zeker om drie uur al weer op de fiets zitten. 't Is nauwelijks de moeite. En wanneer zou die toets klaar zijn, dat halve uur is toch onderhand wel om. Zo zit hij te denken en hij soezelt van vermoeidheid bijna in slaap.
Hij schrikt op van voetstappen op de gang. De deur gaat open. Een meisje stapt binnen. Moet zeker koffie halen voor een meester of juf.
'Hoi Milan!'
De stem klinkt maar al te bekend. Dat is Djinn! Lachend staat ze voor hem. 'Nou, hoe vind je het!'
'Dat jullie nou net met die toets bezig waren!'

'M'n haar, suffie. Hoe vind je mijn haar!'

Ze draait in het rond. Overal grappige piekjes, rood en blauw tussen haar eigen blond.

'Leuk hoor,' zegt hij. 'Staat je goed.'

Ze pakt hem bij zijn hand en trekt hem mee, de speelplaats weer over naar het noodlokaal. Halverwege komen ze een jongen tegen, ook met van die piekjes, maar bij hem zijn ze gewoon zwart. 'Dat is nou Davy,' zegt Djinn, 'je weet wel, die nu bij de band is. Hé Davy, dit is Milan!'

'Dé Milan?' vraagt hij.

'Precies. Van *Milans Band*.'

'O,' zegt de jongen. 'Maar aan die naam moeten we onderhand wel iets doen. Nou, ik ben weg, ik moet naar de tandarts. 'k Zie je vanmiddag.'

Hij gooit zijn rugtas over zijn schouder en loopt weg. Milan kijkt hem na. Die spetter heeft zijn plaats dus ingepikt. Dat bevalt hem niks, heel even voelt hij weer die steek van jaloezie, venijniger nog dan bij dat ene mailtje. Maar voor hij zich er helemaal door laat terneerslaan, zijn daar zijn oude klasgenoten. Ze slaan hem op zijn schouder, ze slaan hem op zijn rug en tronen hem mee naar het lokaal. Hij moet het nieuwe aquarium bewonderen en meester Jop demonstreert het digitale schoolbord. Hij krijgt de nieuwe schoolkrant in zijn handen gedrukt. Dan gaat de zoemer, het is kwart over twaalf. En hoe enthousiast iedereen ook is, niemand die ook maar een minuut langer blijft zitten. Niemand, behalve Djinn.

'Wat ga je nu doen?' vraagt ze. 'Komt je vader je weer halen?'

Och ja, Djinn weet nog niet eens hoe hij hier gekomen is. Als ze het hoort slaat ze haar handen voor haar mond.

'Jij bent echt gek!' zegt ze. 'Dus je moet ook weer naar huis op die ouwe krakfiets?'

'Pas om drie uur. Ik dacht eigenlijk… ik kan toch wel met jou mee?'

Djinn aarzelt. Een fractie van een seconde misschien. Maar hij heeft het gezien.

''t Is al goed. Ik ga wel,' zegt hij stoer. Dat hij tranen achter zijn ogen voelt prikken hoeft zij niet te weten. 'Volgende keer beter.'

'Nee joh!' Djinn schudt haar hoofd. 'Natuurlijk kun je mee. Ik moet alleen éérst even een paar boodschappen doen voor mamma. Ze heeft toch best nog veel hoofdpijn. En vanmiddag is het repeteren met de band.'

'Ja, natuurlijk. Ik kom niet voor niks op woensdag. Ik wil wel graag even meespelen, op jouw gitaar als je het goedvindt. Of…' Hij probeert een lachje op zijn gezicht te toveren. 'Of wordt het schuurtje te krap met een extra man?'

'Dat is het hem nu juist.' Djinn plukt verlegen aan haar vest. 'We zitten daar niet meer. Voortaan spelen we bij Davy thuis, in de garage. Nou ja, in één van de garages, moet ik zeggen. Ze hebben er daar drie.'

'Toe maar…'

'Gisteren hebben we alle spullen overgebracht. Zijn moeder heeft er een visnet opgehangen, en zo'n discolamp. En er staan een paar boxen, niet normaal.'

Ze ritst haar vest dicht. 'Je gaat gewoon mee daarheen, kun je het allemaal zien. Maar nu gaan we eten. Mag ik achterop?'

Natuurlijk mag Djinn achterop. Wat voelt het vertrouwd, om samen door de supermarkt te lopen en door de bekende straatjes te fietsen. Djinn heeft haar arm om zijn middel geslagen en even is het net als vroeger. Ze zijn alleen allebei wat stiller, misschien. Vroeger hoefden ze nooit naar een onderwerp te zoeken om over te praten. Ze zeiden gewoon alles wat in hen opkwam. Maar nu... Milan zoekt vergeefs naar woorden, terwijl ze voor een stoplicht staan te wachten. Moet hij nu gaan vertellen dat Silke op een pony rijdt die Funny heet, bijvoorbeeld. Of dat zijn moeder voor het eerst tulpenbollen in de grond heeft gestopt, en spruitjes heeft gezet. Daar ga je het toch niet over hebben als je maar een paar uur samen bent? Dan zijn er toch belangrijkere dingen, zeker? En alsof ze het aanvoelt, lijkt ook Djinn liever te zwijgen. Maar haar arm blijft stevig om hem heen. En dat maakt dat Milan zich toch even heel gelukkig voelt. Want wie anders rijdt er zó met Djinn door de stad? Lang kan hij niet van dat gevoel genieten. Want daar rijden ze al de stoep op, naar Djinns huis. En als ze even later met Djinns moeder aan tafel zitten en weer moeten praten over ditjes en datjes, is die bijzondere, stille band verbroken.

Milans Band (2)

'Zoek er maar één uit. Welke wil je?'

Davy wijst achteloos naar de muur. Daar staan al even achteloos een stuk of vier gitaren, alsof het ouwe fietsen zijn. Maar oud zijn ze bepaald niet, ze zijn spiksplinternieuw. Als Milan te lang blijft aarzelen, het duizelt hem gewoon van al dat moois, wordt Davy ongeduldig. 'Neem die Dobro maar. Hé Luuk, je staat op een snoer. Nou wat gaan we doen?'

Niemand zegt iets. Luuk doet net of hij zijn saxofoon poetst en Jorian frunnikt aan de stekker in zijn keyboard. Djinn staat een beetje tegen de microfoon te blazen. Milan kijkt verbaasd rond. Zo kent hij zijn maatjes niet.

'Ik heb die liedjes van jullie bekeken.' Davy pakt een schrift, (Djinns schrift, ziet Milan) en bladert er wat in. 'Een beetje kinderachtig, vinden jullie zelf ook niet? Ik mis mijn poppen... Vliegen als een vlindertje...'

'Dat staat er niet.' Milan voelt zich kwaad worden. Het zijn zíjn teksten. 'Er staat: *I miss my puppets*. En: *Fly like a butterfly...* In het Engels klinkt het beter. Dat is met alle popliedjes zo.'

'Kan zijn. Maar die muziek... Wel erg soft.'

Davy slaat een paar akkoorden aan. Vals tot en met, maar joef, wat klinkt dat hier! Ieuwww! Ieuwww! De hele garage vult zich met het geluid van misschien drie snaren.

Davy knikt tevreden. 'Dat bedoel ik,' zegt hij. 'Jorian, zet jij er eens een cool ritme achter. Ja, oké. En nou vallen jullie in.' Hij knikt naar Luuk en Milan. 'En als we dan goed bezig zijn, kom jij met de tekst, Djinn. *I want to fly, in the sky...* Gewoon een beetje rappen. Niet te braaf.'

Daar gaan ze. Allemaal op hun eigen instrument. En Milan

moet toegeven, het ís een manier. En die tekst gerapt is best aardig. Maar het is zo'n herrie. Hij hoort eigenlijk niet wat hij zelf speelt. Alleen Davy hoor je er duidelijk bovenuit. Hij schudt zijn gitaar wild heen en weer en daardoor krijg je dat jankende geluid. Het staat wel stoer. Erg stoer.

Kijk, nou steekt hij zijn arm in de lucht, ten teken dat ze moeten stoppen. Braaf zijn mocht dus niet van hem, maar toch doet iedereen braaf wat hij zegt. Dan gooit Davy er in zijn eentje nog een gillende solo achteraan. Ieuw!! Ieuw!! De uitslover.

Milan kijkt tersluiks naar Djinn. Ze vindt het vast geweldig wat die Davy doet. Moet je zien hoe ze naar hem staat te kijken. Is ze vergeten hoe mooi dat nummer in het schuurtje klonk, zonder al die effecten? Meer country, heel simpel?

Het geluid sterft weg. Davy kijkt de kring rond. 'Zo wordt het in elk geval wat,' zegt hij. 'Die solo wil ik ook aan het begin. En dan jij, Luuk, kun je niet wat meer geluid uit die saxofoon krijgen? Dan kun je de solo een paar seconden overnemen, dat lijkt me wel geinig. Misschien wordt het zo tóch wel iets voor de wedstrijd.'

Zo praat hij door, die Davy. Ze krijgen allemaal nog een lesje apparatuur. 'Ik ga niet elke week alles staan aansluiten. Ik ben jullie rody niet.'

Al met al wordt het steeds later en het wordt drie uur zonder dat ze verder nog een noot hebben gespeeld. Milan grijpt de leren band van de gitaar, hij moet naar huis. Dan zegt Davy: 'O ja, over die naam. *Milans Band*, dat kan natuurlijk niet meer. Wat vind je zelf, Milan? Je hoort er toch echt niet meer bij. Ik zie je niet elke week hier naartoe fietsen.'

'Dan maak je er Davy's Band van. Wat kan mij dat nou schelen.' Milan zet de gitaar tegen de muur. '*Milans Band* bestaat niet meer. Dat weet ik toch al lang!'

Hij trekt zijn jas aan en loopt naar de deur. Rakelings langs Djinn, Jorian en Luuk. Hij is ze kwijt, dat is duidelijk. Hij had beter thuis kunnen blijven. Hij had nog beter naar het trapveldje kunnen gaan, een potje voetballen. Ze zullen hem echt niet missen. Met die Davy zijn ze veel beter af, met zijn mooie spullen en zijn lef.

Milan voelt een brok in zijn keel. Bij de deur draait hij zich om. 'Maar van mijn teksten, daar blijven jullie vanaf. Ik vind het niks zo. Schrijf zelf maar iets anders als je denkt dat je het beter kunt. En nou ben ik weg. Ajuus en succes ermee!'

Hij smijt nog net niet de deur dicht. Maar eenmaal buiten rent hij naar zijn fiets, gunt zich de tijd niet eens om zijn jas dicht te ritsen. Als hij fladderend wegfietst, hoort hij Djinns stem. 'Milan, wacht nou! Milan, je snapt het niet!'

Hij lacht erom. Wíe snapt hier iets niet? Hij doet net of hij Djinn niet verstaat, wuift haar woorden weg zonder om te kijken. Ook al blijft ze roepen tot hij de bocht om gaat. Dan is hij alleen, nog méér alleen dan op de dag dat hij verhuisde.

Terug

Welke kant op? Milan staat hijgend op een tweesprong. Hij is doodmoe, want hij heeft nu de wind, die behoorlijk is aangewakkerd, tegen. En hij kan bijna niet meer zitten van de pijn. Hij moet wel de blaren op zijn billen hebben van dat harde zadel. Besluiteloos kijkt hij naar links en naar rechts. Waarom staat hier geen bord?

Misschien moet ik terug, denkt hij. Heb ik een afslag gemist. Maar dat kan toch bijna niet, ik heb zo goed opgelet. Hij aarzelt, gaat dan op zijn gevoel af en neemt de weg naar links.

Een kwartier lang gaat het goed. Hij passeert wat boerderijen die hem vaag bekend voorkomen. Maar dan gaat de weg opeens over in een zandpad. Dat klopt niet. Op de heenweg lag zelfs op de hei een verhard fietspad, had hij nergens door het zand hoeven ploegen. Hier doorrijden is onmogelijk, dan kan hij net zo goed gaan lopen.

Vertwijfeld keert hij zijn fiets en rijdt terug naar de tweesprong. Wat moet hij nou? Kon hij het maar vragen. Maar er is in geen velden of wegen ook maar iemand te zien.

Ik rij de andere kant op en bij het eerste het beste huis ga ik het vragen, denkt Milan. Maar er komt geen huis meer. Dit weggetje voert tussen eindeloze weilanden door, zo leeg en verlaten dat er zelfs geen koe is om de weg te vragen.

Het begint te regenen. Ook dat nog. Milan stapt af om zijn jas dicht te doen. Dan ziet hij tot zijn opluchting een tractor naderen, een enorm gevaarte dat zowat de hele breedte van de weg in beslag neemt. Milan steekt zijn hand op en zwaait. Maar de boer, kauwgom kauwend en met oordoppen op tegen de herrie, snapt hem niet en steekt onverschillig één vinger op als groet. Milan kan roepen wat hij wil, maar de boer rijdt stug door.

Nu begint Milan zich pas echt zorgen te maken. Hij kijkt op zijn horloge. Het is al vijf uur! Over een half uurtje is iedereen weer thuis. Dan had hij terug willen zijn. Maar dat lukt natuurlijk nooit meer. Speurend kijkt hij om zich heen. Heel in de verte staat een stel windmolens met vrolijk draaiende wieken naar hem te wenken. Alsof ze willen zeggen: *Hier Milan! Hier moet je zijn*. En dan weet hij het opeens. Er staan van die windmolens langs de snelweg, even voorbij de stad. Als het diezelfde windmolens zijn, rijdt hij dus nu terug naar waar hij vandaan komt. Precies de verkeerde kant uit.

Had hij nou maar een mobieltje, dan kon hij even bellen, alles uitleggen. Maar zijn ouders zijn ook altijd zo traag met die dingen. 'Een mobieltje? Die heb je nu nog niet nodig. Volgend jaar, als je naar de havo gaat, ja dan...' Nou zie je wat er van komt, van al die zuinigheid.

Het begint harder te regenen. Milan heeft zin om zijn fiets erbij neer te gooien en met zijn rug naar de regen in een greppel te gaan zitten. Maar daar schiet hij niks mee op. Nee, terug maar weer, naar die zandweg, dan gaat hij in elk geval de goede kant op. En dan komt hij heus wel ergens uit. En stonden daar geen boerderijen waar hij hulp kon vragen?

Daar gaat hij weer door de ijskoude regen. Na een paar minuten is hij doornat. De regendruppels plakken aan zijn wimpers en benemen hem het zicht. Daardoor kan hij een dikke steen op de weg niet meer ontwijken. Hij knalt erop en hij voelt het al meteen als hij verder wil rijden. Band lek.

Hij schreeuwt het uit. Rotfiets! Rotmeid! Rotband! Rot alles! Trapt tegen de kettingkast. Schoppend draait hij zijn fiets weer om en dan zet hij het op een lopen. Zwalkend met ijskoude handen aan het stuur. Stoot zijn benen tegen de trappers. Tot hij die ouwe rammelkast uiteindelijk in de berm gooit en alleen verder loopt. En loopt… En loopt…

Het wordt snel donker nu. Dat krijg je in deze tijd van het jaar, zeker bij dat slechte weer. Is hij nu al die tweesprong voorbij? Milan weet het niet meer. Vertwijfeld blijft hij staan, midden op de weg. De regen klettert, de wind raast, een groep kraaien strijkt krijsend neer in een boom langs de weg.

Dan opeens een knetterend geluid achter hem, gevolgd door gierende remmen en een vloek die boven alle herrie uitstijgt. Milan staat stijf van schrik. Een brommer schuift slippend voorbij, maakt een halve draai en komt vlak voor hem tot stilstand.

'Hé jij, klojo! Staat daar midden op de weg!'

Een jongen van een jaar of achttien schuift zijn beslagen vizier omhoog en kijkt Milan woedend aan. 'Ik had je wel dood kunnen rijden!'

Milan is nog lam van de schrik. 'Sorry, ik…'

'Sorry, dat mag je wel zeggen ja!' De jongen, al even zo geschrokken, zet zijn brommer weer recht op de weg. Pas dan kijkt hij Milan eens goed aan. En zijn stem klinkt iets vriendelijker als hij zegt: 'Wat doe je hier eigenlijk? Is dat een hobby van je, rondzwalken in de regen?'

'Ik ben verdwaald,' zegt Milan, opgelucht dat de jongen er niet meteen vandoor gaat. 'Toen kwam er een tractor, maar die reed door. En toen kreeg ik ook nog een lekke band.' Hij zucht en schudt zijn hoofd. 'Ik wist het echt niet meer.'

De jongen lacht. 'Dat was mijn broer, op die combine. Typisch iets voor hem om jou te laten staan. Nou, stap maar achterop bij Henkie. Bij ons kun je wel even schuilen. En iemand bellen. als je wilt.'

Daar scheuren ze al weg, door de plassen, het water spat hoog op. Als Milan al nat was, dan is hij nu doorweekt. Gelukkig is het niet ver. Henkie woont in een enorm huis met grote schuren daarachter. Een boerderij?

'Wel nee,' zegt Henkie. 'Een machinepark. We verhuren grote landbouwmachines en werktuigen aan de bedrijven in de omtrek. Maar kom binnen, anders kunnen ze je straks opdweilen.'

Vijf minuten later heeft Henkies moeder Milan in een plaid gewikkeld en voor een openhaardvuur gezet, met een kop chocolademelk en een plak peperkoek. 'Pas maar op, straks komt ze nog met pampers aan,' lacht Henkie. 'Mijn moeder zou ons het liefst altijd als een baby blijven behandelen. Ze moet gewoon iets te vertroetelen hebben.'

'Pampers hoef ik niet,' zegt Milan, die gelukkig ook weer een beetje kan lachen. 'Maar tegen de rest heb ik geen bezwaar.'

Hij belt naar huis. Zijn moeder klinkt boos. En als ze boos is dan praat ze maar door, dan kun je er niet meer tussen komen. 'Ik had al bijna de politie gebeld, weet je dat? Pappa is de hele buurt aan het afzoeken. Hoe haal je het in je hoofd om dat hele eind te gaan fietsen! Je weet toch dat het om zes uur al bijna donker is...' Zo gaat het nog een tijdje door, tot ze een beetje is afgekoeld. Ze heeft ook al een plannetje bedacht om hem terug te halen. Ome Sjaak moet toch nog snoep brengen, die kan hem oppikken met zijn bestelauto en meteen ook de fiets opladen. Dat vindt Milan een prima oplossing. Ome Sjaak is zo'n goeierd, als die erbij is zullen zijn ouders niet de hele tijd kwaad blijven. Dan gaan ze natuurlijk koffie zetten en laten ze hem met rust. Hoeft ie niet meteen alles te vertellen over zijn ellende met Djinn en de band. Want dat is het laatste waar hij zin in heeft.

Ivanka

Wat moet je doen op zaterdag als je helemaal niemand meer hebt om te mailen, te bellen, of naartoe te gaan? Milan ligt al de hele morgen op zijn bed. Hij heeft nergens zin in. Ook niet in het werken aan zijn spreekbeurt over de gitaar, waar hij vorige week zo vol goede moed aan begonnen was. Vorige week, dat was een ander tijdperk. Vandaag is alles anders, is er niets meer om naar uit te zien.

Hij kijkt op zijn horloge. Twaalf uur pas. Het enige wat hij móet vandaag is Silke ophalen bij de manege, om een uur of vier. Maar zijn fiets staat nog steeds met een lekke band in de schuur. En hij hoeft er niet op te rekenen dat zijn vader die nog voor hem plakt. Die is er trouwens niet. Hij is met mamma naar een tuincentrum in de buurt, om 'inspiratie op te doen'. Als de nieuwe garage wordt gebouwd (wanneer eindelijk?) willen ze ook meteen het terras opknappen, want dat is helemaal verzakt. 'Ze geven daar advies, over hoe je zoiets moet aanpakken.' Aldus mamma. 'En het is daar zó groot, je kunt er wel een dag rondlopen en dan heb je nog niet alles gezien. Dus het kan laat worden. Broodjes liggen in de kast.' Met andere woorden, zoek het maar uit vandaag.

Milan zucht eens diep, hijst zich overeind en gaat op weg naar de schuur. Hij zoekt de reparatieset, vult een emmer met water, zet de fiets op zijn kop...

Hij is bezig om de binnenband door het water te laten glijden, als hij iets hoort. Geschuif over de vloer. Muizen? Maar die maken niet zo'n schurend geluid toch? Een kat? Hij kijkt om zich heen, maar ziet niets. En het blijft verder stil. 't Zal wel niks zijn. Hij gaat verder met de band. Maar net als het water gaat bubbelen en hij het gaatje heeft gevonden, wéér dat geluid. Er zit echt iets in de schuur. Ergens achter de grote verhuiskisten die pappa wie weet waarom heeft bewaard. Iets groters dan een muis. Een kat of een hond. Of misschien wel een rat, een grote dikke rat. Gets, het idee alleen al.

Milan laat de band uit zijn handen vallen. Hij pakt de bezem naast de deur en loopt op zijn tenen naar de plek waar het geluid vandaan kwam. Heel stil wacht hij af. Zo gauw hij het geluid weer hoort zal hij toeslaan. Of in elk geval dat beest de schuur uitjagen, wat het ook is.

Het duurt lang, erg lang. Hij wil de bezem al bijna wegzetten, als hij weer iets hoort. Een ander geluid. Menselijk. Gezucht en gekreun. Nu wordt Milan pas écht bang. Hij zet een pas achteruit, wil de schuur uitrennen. Maar dan rijst er, als een meermin uit de zee, een meisje op vanachter de kist. Een meisje met lang zwart haar en grote zwarte ogen.

'Ik kan er niks aan doen,' zegt ze 'Ik hield het niet meer uit. Mijn been slaapt. Ik wou je niet laten schrikken, echt niet.'

Milan voelt zijn hart nog kloppen in zijn keel, maar bang is hij niet meer. Eerder kwaad.

'Wat doe je hier?' roept hij. 'Jij bent... jij loopt hier altijd rond te spioneren. Wat wil je!'

'Niks.'

'Waarom kom je hier dan binnen? Dat doe je toch niet?' Milan is echt verontwaardigd. 'Je wou zeker iets pikken. Geld of zo. Je gaat toch niet zomaar in een wildvreemd huis?'

'Het is geen wildvreemd huis. Voor mij niet.' Het meisje wrijft met een pijnlijk gezicht over haar enkel. 'Nog steeds lam, die voet, ik zat helemaal in de kreukels. Ik hield het echt niet langer uit. Was je die band aan het plakken? Het duurde wel lang.'

Milan staart het meisje aan, stomverbaasd.

'Hoezo, geen wildvreemd huis? Woon jij hier of woon ik hier!'

'Jij woont hier nú. Maar eigenlijk...' Het meisje bijt op haar lip. Haar ogen krijgen iets droevigs. 'Eigenlijk is dit veel meer mijn huis. Ik ben Ivanka en ik heb hier tien jaar gewoond. Bijna mijn hele leven, snap je?'

'Heb jij hier gewoond?' Milan weet niet wat hij moet zeggen. Omdat er opeens zovéél te zeggen is, misschien. Dus die Ivanka weet alles van dit huis, heeft in zijn kamer gezeten, op diezelfde vensterbank, heeft de zon door het glas en lood zien schijnen. Ze heeft de bomen in de tuin zien groeien, en de vissen in de vijver. Ze heeft gelijk, ze hoort hier veel meer thuis dan hij, die hier eigenlijk niet wil zijn!

'Jij speelt gitaar.' Het meisje draait een lok van het zwarte haar om haar vingers. 'Net als mijn vader, weet je. En net als mijn broer.'

'Je hebt staan luisteren. Dat heb ik wel gezien. Maar ik wist niet wie je was.'

'Dan weet je 't nu hè, Milan!'

'Dus mijn naam ken je ook al.'

'Ja natuurlijk. Daar was ik al gauw achter, ik hoorde dat je vader dat zei.'

Ze bukt zich en strikt vliegensvlug een losse veter. Dan loopt ze naar de deur.

'Heb je soms iets speciaals gevonden in mijn... in jouw kamer?'

Wat een vreemde vraag. Milan haalt zijn schouders op.

'Ik zou niet weten wat.'

'Ik wil je iets laten zien.'

Ze is de deur al uit. Milan aarzelt. Moet hij haar binnenlaten, een meisje van wie hij niks weet? Dat stiekem in hun huis komt? Maar ze staat al bij de achterdeur.

'Kom dan!'

Nou ja, wat geeft het ook. En een beetje nieuwsgierig is hij toch eigenlijk ook wel. Hij loopt achter Ivanka aan, de serre in, de huiskamer door, de trap op. Ze weet feilloos de weg. Maar dat is geen wonder, ze heeft hier tien jaar rondgelopen. Op de een na bovenste tree blijft ze staan en lacht. 'Hij kraakt nog steeds. Die sloeg ik altijd over als ik 's nachts opstond om stiekem te gaan kijken wat Sinterklaas had gebracht. Of als ik kabouters ging zoeken.'

Ze schudt haar hoofd en lacht zachtjes in zichzelf. Dan maakt ze de deur naar zijn kamer open.

Voor Iwan

 Ze is verrast. 'Staat je bed daar? Het mijne stond onder het raam. Kon ik 's avonds naar buiten kijken. Zoveel vogels in de tuin. Hou jij ook zo van vogels? Er zit hier een goudvink, weet je dat?'

Milan staat er een beetje onwennig bij. Er is nog nooit een vreemd iemand in zijn kamer geweest. Op zijn oude kamer natuurlijk wel. Djinn... Hij voelt weer die vreemde pijn, waar geen naam voor is. Een soort heimwee, maar dan erger. Het verlangen naar een andere tijd.

Ivanka heeft dat misschien ook. Dat ze daarom steeds terugkomt om naar haar oude huis te kijken. Ze staat met haar neus tegen het raam en kijkt in de verte. Het lijkt wel of ze hem helemaal is vergeten. Maar dan opeens zegt ze: 'Je moet in de kast kijken. Helemaal bovenin. Daar is nog een smal plankje, als het goed is.'

Milan maakt de kastdeur open. Het is een diepe kast, waarin al zijn kleren, schoenen en sportspullen kriskras door elkaar liggen. Hij schuift zijn bureaustoel ervoor en klimt erop, want die bovenste plank zit te hoog om erbij te kunnen. Er ligt dan ook niks op.

'Als je dat plankje weghaalt, zie je precies daarachter een grote barst in de muur. Daar ligt het in.'

Milan moet op zijn tenen gaan staan om de plank weg te halen, en schuift de stoel half in de kast. Nu kan hij er net bij. Zijn handen glijden over de muur tot hij voelt waar het brokkelig wordt. Ja, daar is een holte. Hij voelt iets fluwELigs, haalt het tevoorschijn... Het is een knuffeltje, heel klein, een konijntje. Een vuil, grijs konijntje met een jurkje van stippeltjesstof.

'Dat is Frieda,' zegt Ivanka, 'mijn knuffelkonijn. Van mijn vader gekregen, toen ik geboren werd.'

Milan springt van de stoel. 'Wil je het terug?'

Ivanka heeft zich omgedraaid. Ze schudt haar hoofd. 'Ik wil er alleen maar even aan ruiken,' zegt ze. 'Maar het moet wel hier blijven. Hier in huis.'

Ze pakt het poppetje en duwt het tegen haar neus. Knijpt haar ogen stijf dicht.

'Ook al bijna weg,' zegt ze dan. 'Misschien nog een heel klein beetje.'

Ze gaat op Milans bed zitten. 'Dit is eigenlijk niet alles...' Ze krijgt een kleur.

'Hoezo, niet alles?' Milan moet nog steeds wennen aan het vreemde meisje. Hij gaat maar op de vensterbank zitten, want op dat bed zou net zijn als met... nee, niet aan denken.

'Laat maar.'

'Waarom? Zeg toch gewoon.'

'Er is nóg iets. Als het er nog ligt.'

'Zal ik het pakken?'

'Ik pak het zelf wel.'

Nu is het Ivanka die op de stoel klimt. Maar ze kan er pas bij als Milan een paar van zijn dikste boeken voor onder haar voeten heeft aangedragen. Gevaarlijk wiebelend haalt Ivanka uiteindelijk een envelopje uit de nis te voorschijn.

'Lees maar.'

Milan neemt het envelopje aan. 't Is van dat typische meidenpostpapier, roze, met hartjes. Hij vouwt het briefje open.

Voor Iwan

Hier was jij
waren wij
in dit huis van steen
tot je ging
voor altijd
stil en heel alleen

kom ik hier
nog eens terug
zie ik jouw gezicht
dan ben jij
heel dichtbij
in dit klein gedicht.

Van je liefste Ivanka

Milan leest het briefje wel drie keer over, maar hij begrijpt er niet veel van. 'Wie is Iwan?' vraagt hij ten slotte.
'Iwan is mijn vader, hij is dood. Al één jaar en negen maanden.'
'O... Ik wist niet... wat erg.'
'Hij is ziek geworden, zomaar opeens. Hij werd heel mager en heel wit. En toen, op een dag, is hij gestorven.'
'Hier in huis?'
'Nee, in het ziekenhuis. Maar hij heeft wel beneden in de kamer gelegen, in een kist. Dat was mooi. Mijn broer speelde heel zachtjes op zijn gitaar en ik op mijn viool. Er waren veel bloemen, allemaal wit. Pappa houdt van wit.'
Milan krijgt een beetje kippenvel van dat verhaal. Hij probeert zich die kist voor te stellen, op de plek waar nu de eettafel

staat. Doodeng. Je hoort wel eens van geesten die blijven rond-zweven. Jakkie, hij had het liever niet geweten. Maar die Ivanka vertelt het zo gewoon, zou zij niet bang zijn dan?

'Denk je dat je vader hier nog is… op een of andere manier…'

'Nee, hoe kan dat nou. Mijn vader is in de hemel.'

'Als geest dan… ik dacht dat je daarom…'

'Ik geloof niet in die geestverhalen. Trouwens, mijn vader zou nooit ergens gaan rondspoken, iemand schrik aanjagen. Dat zou hij nooit doen. Nee, hij is ver weg… heel ver. Dat is nu een-maal zo als je dood bent.'

'Maar waarom kom je dan steeds? Mis je dit huis dan zo?'

'Nee, daar gaat het niet om. Het is omdat…' Ivanka duwt het knuffeltje tegen haar wang. 'Soms weet ik opeens niet meer hoe hij eruitzag, mijn vader. Dan kan ik me hem bijna niet meer voorstellen. Als ik het probeer, dan is het net als op zo'n bewo-gen foto, weet je wel. Ik ben zo bang dat ik het op een dag hele-máál niet meer weet. Ik mag hem toch niet vergeten? Dan lig ik de hele nacht wakker en dan moet ik naar dit huis. Want hier zie ik weer precies voor me hoe hij was. Hoe hij keek als hij muziek maakte, in de serre als de zon scheen. Hoe hij mij iets voorspeelde op de viool, met zijn kin zo op dat blad… Alleen híer zie ik dat allemaal heel scherp voor me, snap je. En dan kan ik er weer een poosje tegen.'

Milan knikt opgelucht. Zoals Ivanka het nu uitlegt is er niets engs aan. Hij heeft hetzelfde met zijn oma. Die kan hij zich ook bijna niet herinneren, maar soms, als ze langs haar huis rijden, ziet hij heel duidelijk hoe ze zwaaide door het raam.

'Mijn vader speelde gitaar en viool in een zigeunerorkest. En mijn moeder zong en danste. Ze waren altijd op reis, zelfs toen mijn broertje geboren was. Toen ik er ook nog bij kwam, kon dat niet meer. Toen heeft pappa dat baantje van portier aangenomen en zijn ze hier gaan wonen. Ze hadden nooit in een stenen huis gewoond, hun ouders waren nog echte Roma. Voor mij hebben ze alles opgegeven, eigenlijk…'

'Maar hij heeft jou leren vioolspelen.'

'Ja. En mijn broer gitaar. Hij hoopte dat we later samen een orkest zouden maken. Dat was zijn grootste wens. Maar ja, het werd allemaal anders. Wie had nou kunnen denken dat hij zo ziek zou worden.'

'En daarna zijn jullie dus weggegaan.'

'Mamma hield het hier niet uit. Ze bleef toch altijd een vreemde voor de mensen in het dorp, ze voelde zich zo alleen. Toen kwam er een woonwagen vrij.' Ivanka aarzelt even, maar gooit dan haar lange haren naar achter en kijkt Milan uitdagend aan. 'Ze ging terug naar het woonwagenkamp, aan de andere kant van het dorp. Nu wonen we bij de familie en een heleboel andere Roemenen. Mijn moeder voelt zich daar beter thuis. Zingen doet ze niet meer, ze is er een kindercrèche begonnen. En wij zitten op de speciale school daar. Daar hebben we trouwens altijd al gezeten, in verband met de muziek…'

Ivanka staat op. 'Nou weet je het. Nu kan ik hier natuurlijk niet meer komen. Mag Frieda hier blijven en mijn brief voor Iwan? Als herinnering?'

Milan knikt. 'Je mag best terugkomen,' zegt hij. 'Waarom niet?'

Ivanka geeft geen antwoord. Ze stapt op de stoel en stopt haar spulletjes terug.

Een oogwenk later is ze verdwenen, de deur door, de trap af, het huis uit. Als ze al lang weg is, ziet Milan dat ze haar sjaal is vergeten. Hij staat er een tijdje mee in zijn handen en hangt hem dan over zijn stoel. Hij weet niet zo gauw wat hij ermee moet. Dan pakt hij voor het allereerst meester Jops vogelboek uit de kast. Daar staat vast wel een goudvink in…

De val

Nog beduusd van alles wat hij gehoord heeft, gaat Milan terug naar het schuurtje en plakt zijn band. Vreemde gedachten schieten door zijn hoofd. Je vader verliezen is natuurlijk het ergste wat er is. Waarom voelt hij dan toch iets van jaloezie?

Later, als hij tegen de wind in naar de manege fietst, weet hij het. Ivanka moest afscheid nemen van haar vader, voor altijd. Verschrikkelijk. Maar... hij blijft nu voor altijd haar allerliefste pappa, *daar kan niets meer tussenkomen*. En ik moest ook afscheid nemen, denkt hij bitter. Maar bij Djinn en mij is er wél iets tussen gekomen. Het was niet voor altijd, ze geeft nu al niks meer om mij. Dat was toch duidelijk? Hoe ze naar die Davy stond te kijken...

Hij wil er niet meer aan denken, fietst zich de longen uit het lijf. Veel te vroeg komt hij op de manege aan. Hij loopt naar de bak maar daar is niemand te bekennen.

'Ze zijn met Johan mee, een buitenritje maken,' zegt een jongen die zadels zit te poetsen. 'Naar de blokhut. Je kunt ze tegemoet rijden als je wilt. Gewoon het fietspad volgen, het bos in. Dan zie je ze vanzelf.'

Vooruit dan maar. Hij heeft toch niets anders te doen. Hij fietst om de manege heen in de richting van het bos. Passeert de boerderij waar Rocky woont. In de verte tuft een tractor over het land, maar Milan kan niet zien wie erop zit.

Als hij de eerste bomen van het bos bereikt, hoort hij al het klikken van hoeven op het asfalt. Hij stapt af en gaat in de berm staan. En ja, daar komen ze aan, een stuk of zeven paarden, braaf achter elkaar, sloom stappend achter Johan, de leider aan. De kinderen in de stoet hobbelen vrolijk mee. Ze lijken allemaal op elkaar met hun zwarte caps en lange laarzen. Milan ziet niet meteen waar Silke rijdt. Maar zij ziet hem wel. 'Hé, Milan!' roept ze blij, zwaaiend met haar zweep. En of het nu komt door die onverwachte beweging, of door haar opgewonden stem, de pony schrikt op uit zijn suffigheid, steigert en maakt zich los uit de groep. En dan gaat ie er vandoor, bokkend, met Silke op zijn rug. Ze trekt aan de teugels, maar dat maakt het alleen maar erger. De andere paarden worden ook onrustig, Johan gaat dwars over het pad staan, steekt zijn arm omhoog. Dat helpt gelukkig, maar Silke is al weg. Milan hoort haar gillen, ze komt in razende vaart langs hem heen. Silke hangt al helemaal scheef, het is een kwestie van seconden of ze zal eraf vallen. Hij springt op zijn fiets en gaat haar achterna, maar het is onbegonnen werk. In een paar tellen is ze om de bocht verdwenen.

Fietsen, fietsen! De angst slaat Milan om het hart. Als hij zelf de bocht om is, ziet hij dat het al is gebeurd. Silke ligt op de grond, half in de berm, half op het pad, terwijl de pony die haar heeft afgeworpen een eind verderop rustig staat te grazen, alsof er niks gebeurd is. Het stomme dier. O, Silke, als ze maar niks ergs heeft, ze ligt zo stil. Milan trapt nog harder om bij Silke te komen. Dan ziet hij hoe iemand over de akkers komt aanrennen. Dat moet wel Rocky's vader zijn, met dat rossige haar. Hij springt over de sloot en tegelijk knielen ze bij Silke neer. 'Gaat het, meidje?' vraagt de man bezorgd.

Silke knikt gelukkig, ze gaat overeind zitten, maar wrijft met een pijnlijk gezicht over haar knie.

'Kun je gaan staan, denk je?' Samen helpen ze Silke overeind. 'Kun je je vingers bewegen? Je armen?' Gelukkig lijkt er niets gebroken. Ze heeft alleen een schram op haar wang. En haar rijbroek is bij de knie kapot, daar bloedt het behoorlijk. Als Silke dat ziet begint ze te huilen.

'Stil maar, daar gaan we iets aan doen. Het valt allemaal mee. Jij gaat een ritje maken op de tractor, binnen knappen we je wel weer op.'

De man holt weer terug naar de tractor, die nog steeds met draaiende motor op het land staat. Hij rijdt hem naar een hek een eind verderop. Milan strompelt er met zijn zusje naartoe. Intussen is ook Johan met de stoet aangekomen. Hij slaakt een zucht van opluchting als hij ziet dat Silke op haar eigen benen staat.

'Ik neem haar wel mee,' bromt Rocky's vader. 'Maar hoe kun je nou met dat grut naar buiten gaan.' Hij schudt zijn hoofd, alsof er elke dag wel een kind vlak voor zijn erf van een paard afvalt.

Voor Silke op de tractor stapt wil ze eerst Funny nog over zijn neus aaien. 'Het was mijn eigen schuld,' zegt ze dapper. 'Jij kon er niks aan doen, Funny.'

Dan tilt Rocky's vader eerst Milans fiets op de aanhanger en daarna Silke op de plaats naast de bestuurder. Milan klimt er ook bij. Even later tuffen ze in de richting van de boerderij.

75

Rocky

 Ze zitten aan tafel in de enorme keuken. Silkes knie is schoongewassen en er zit een grote pleister op. Ze voelt zich helemaal thuis op de boerderij en kletst honderduit.

'Mag ik de koeien zien? Mag ik een biggetje vasthouden?'

Rocky's vader vindt het prachtig. 'De eieren uithalen, kun je dat ook? Dan mag je ze zelf meenemen.'

Net als ze op weg gaan naar de koeien, klinkt er muziek ergens vanuit een schuur. Iemand heeft blijkbaar de radio aangezet, een drumsolo dendert door de stallen.

'Ddzjing! Takketak! Dzjing dzjing!'

De boer lacht. 'Dat is Rocky,' zegt hij. 'Die moet zich weer even uitleven.'

'Rocky?'

'Ja, je kent hem vast van de manege.'

'Ook van school. We zitten in dezelfde groep. Maar…' Milan is stomverbaasd. 'Hij drumt toch niet zelf, Rocky?'

'Ja, en of hij zelf drumt. Ga maar kijken. Je kunt het beste buitenom gaan, de achterste schuur.' Hij pakt Silke bij de hand. 'Dan gaan wij samen naar opa Willem, die is bij de kalfjes bezig. Kom maar mee.' Ze verdwijnen een stal in en Milan gaat het erf op. Hij gelooft het nog steeds niet. Rocky, met zijn dikke knuisten, die op tractors rijdt en stallen uitmest, een boerenpummel toch eigenlijk, diezelfde Rocky kan drummen? En hoe!

Milan loopt op het geluid af, opent een deur… en gelooft zijn ogen niet.

Midden in de grote schemerige ruimte, tussen opgestapelde banden, versleten maaimachines, olietonnen en een hoop oud roest, staat een drumstel te glimmen en te glanzen. Een drumstel met alles erop en eraan, zo een waarvan ze bij *Milans Band* alleen maar konden dromen. Met bas- en snaardrum, bekkens, hihats... de hele rataplan.

Rocky zit met zijn rug naar hem toe, veegt met zijn stokken over de bekkens, mept op de grote drum... Een lekker ritme, je gaat vanzelf meestampen met je voet of schudden met je hoofd. Maar Rocky zelf is blijkbaar minder tevreden. Hij stopt abrupt en zegt: 'Nee, dat is niks.'

'Wel waar, het was goed, man! Keigoed!'

Rocky draait zich verrast om op zijn kruk. 'Jij hier?'

Milan vertelt vlug wat er gebeurd is. 'Maar dat jij kunt drummen, dat wist ik niet!'

'Ik heb hem zelf bij elkaar gespaard,' zegt Rocky trots. 'En van mijn opa Willem krijg ik ook wel eens wat.'

'Maar hoe heb je het geleerd? Wat jij doet is beremoeilijk.'

'Gewoon, van mezelf. Ik kijk veel op You Tube, naar die ouwe rockers en zo. Ik probeer die ritmes na te doen, net zo lang tot het goed is. Wil je het ook eens proberen?'

'Nee, drummen is niks voor mij. Ik speel gitaar. Ik...'

'Gitaar!' Nu is het Rocky die grote ogen opzet. 'Gitaar? Jij? Waarom heb je dat nooit gezegd!'

Milan haalt zijn schouders op. 'Ik dacht dat jullie alleen maar konden voetballen. Het gaat nooit ergens anders over. In elk geval niet over muziek.'

'Man, ik zoek al tijden naar iemand om mee samen te spelen. Zou je dat willen?'

'We kunnen het proberen. Ik heb misschien een andere stijl van spelen, meer R&B, folk en zo.'

Rocky aarzelt geen moment. Probeert een ritme, wat minder heftig dan daarnet. 'Bedoel je dit?'

'Ja, dat gaat meer in de richting. Tenminste wat mijn eigen liedjes betreft. Maar ik speel ook wel hardrock hoor.' Het begint steeds meer tot hem door te dringen wat een kans dit is.
'Wanneer zal ik komen?'
Ze spreken de volgende woensdagmiddag af. Ná het voetballen, want Rocky moet wel eerst nog keepen in het schoolelftal. Milan krijgt steeds meer ontzag voor die rooie. Die zeurt niet, die doet alles gewoon!

Mail van Djinn aan Milan

....
Hoi Milan, waarom mail je niet terug? Ik heb al 3 mails gestuurd. DRIE. Ik denk dus dat je kwaad bent, maar ik snap niet waarom. Kan ik het helpen dat je moest verhuizen? Met de band gaat het goed, we heten nu alleen niet meer *Milans Band*. We gaan een nieuwe naam verzinnen. Nou, doeg. Tot mails dan. Djinn
(Als je nu niet terugmailt, doe ik het ook niet meer).

Mail van Milan aan Djinn

....
Hoi...

Milan zit bij de computer op zijn nagels te bijten. Wat moet hij schrijven? Het liefst zou hij Djinn alles vertellen, over Ivanka, over Silke, over Rocky. Maar iets houdt hem tegen. Zij vertelt toch ook bijna niks? Die drie mailtjes stelden niks voor. Het was van hoi en hoe gaat het en groetjes en zo. Besefte ze wel dat hij dat hele eind alleen voor haar had gefietst? Nee, dat interesseert haar toch helemaal niet? Laat ze maar mooi spelen in die band. Niet moeilijk hoe die zal gaan heten. Davy's Band, want die gozer is toch duidelijk de baas?

Milan wist wat hij heeft getypt. Mailen kan altijd nog. Over een week of wat heeft hij er misschien meer zin in.

Hij sluit de computer af en zet de televisie aan. Eens kijken of hij goeie nummers ziet die hij samen met Rocky kan spelen.

Achter de slagboom

'Hé, Milan, die sjaal, waar komt die vandaan?' Milans moeder komt de kamer binnen met een mand vol wasgoed, Ivanka's sjaal ligt bovenop. Milan krijgt een kleur. Die sjaal, helemaal vergeten. Hij heeft er een trui over gehangen, en een T-shirt, zo is het ding helemaal onderop geraakt. En stom, maar hij heeft zijn ouders niets over Ivanka verteld. Elke keer als hij erover wilde beginnen kwam er iets tussen en nu lijkt het net of het te laat is, of hij iets stiekems heeft gedaan. 'Sjaal?' Hij speelt de verbaasde jongen, om tijd te winnen. 'O, die. Is van een meisje van mijn klas.'

'Ja?'

'Ja, ze eh… fietste voor mij en toen heeft ze hem verloren. Ik heb hem opgeraapt. Geef maar, ik breng hem wel terug.'

Hij grist de sjaal uit de mand, trekt zijn jas aan en gaat er vandoor, op zijn fiets. Hij voelt mamma's verbaasde blik in zijn rug, probeert zo gewoon mogelijk te doen.

Wat zal hij doen met die sjaal? Ergens in een vuilnisbak stoppen? Of zal hij hem toch terug gaan brengen? Maar dan moet hij naar dat woonwagenkamp. Hij weet waar het is, hij kwam er langs tijdens die verschrikkelijke fietstocht. Er liepen honden los… Langzaam fietst hij verder, speurend naar een plek waar hij de sjaal kan wegmoffelen. Maar onwillekeurig trapt hij wel in de richting van dat woonwagenkamp. Zou je daar zomaar het terrein op kunnen fietsen of krijg je dan zo'n grote herder aan je broek?

Opeens moet hij aan Rocky denken. Zou die ook zo schijterig doen? Vast niet. Rocky zou die sjaal terug gaan brengen, zonder gezeur.

En dat ga ik ook doen, denkt Milan stoer. Kom op, ik ben toch geen watje?

Hij heeft het dorp verlaten. Het is niet ver meer, nog een paar bochten, een bruggetje over... En ja, dan staat hij voor de ingang van 'het kamp', zoals ze die plek in het dorp noemen. Een stuk of tien woonwagens staan keurig op een rij langs een asfaltweg. Nou ja, woonwagens... het lijken net gewone huizen, er zijn tenminste geen wielen te zien. Er is een slagboom voor auto's, net als bij een camping, maar met de fiets kun je er gewoon langs als je wilt. Honden zijn er deze keer niet. Toch durft Milan niet zomaar verder te gaan. Hij kan misschien maar het beste wachten tot er iemand naar buiten komt en dan vragen of hij binnen mag.

Hij zet zijn fiets tegen een boom en verschuilt zich een beetje achter wat struiken. Hij moet er in zichzelf om grinniken. Nu zijn de rollen omgedraaid en sta ik te spioneren, denkt hij. Maar lang houd ik dit niet vol, het is me veel te koud. En hij wil zijn plan al bijna weer opgeven, als er een grote zwarte auto voor de slagboom stopt. Een dikke man, van voren kaal en van achteren met haar tot op zijn schouders, laat het zijraam zakken. Hij steekt zijn arm naar buiten en drukt op een knop. De slagboom gaat omhoog. Milan doet een stap naar voren. 'Meneer!'

De man kijkt verbaasd op. 'Was ist, junge?' zegt hij. 'Etwas loos?' Hij heeft vriendelijke oogjes, en een glinsterende gouden tand.

'Ik zoek Ivanka.'

'Ivanka, oh lala!' De man lacht zeker nog drie gouden kiezen bloot. Hij gebaart Milan om naast hem te komen zitten. 'Kom mal mit.'

Hij rijdt stapvoets verder en slaat aan het eind van de weg

rechts af. Daar staan nog veel meer huizen en woonwagens, het is een compleet dorp. Milan kijkt zijn ogen uit.

'Du warst nie hier? Eerste keer?' vraagt de man.

'Ja,' zegt Milan, 'ik wist niet dat hier zoveel mensen wonen.'

De man schudt zijn hoofd. 'Veel? Ach junge, das war einmal. Alle sind gestorven. In de oorlog. Mein vater, meine Mutter, mein ganze familie.'

Maar dan lacht hij, een beetje hulpeloos. 'Ach, du bisst zu jung... te jong om te weten.'

De auto stopt en de man wijst vaag naar een woonwagen helemaal aan het eind van een laantje. 'Daar moet je zijn, junge.'

Milan stapt uit en blijft aarzelend staan. Waar bedoelde die man nu precies? Maar dan hoort hij muziek. Gitaarmuziek en daarbovenuit de hoge tonen van een viool. Zou dat Ivanka zijn?

Het klinkt wel mooi. Langzaam loopt hij in de richting van het geluid, komt bij de woonwagen, klimt een trapje op. De deur staat op een kier. Zou hij naar binnen kunnen gaan? Hij kan natuurlijk ook de sjaal over de balustrade hangen, en weggaan. Dan vindt ze hem wel, en zit zijn taak erop. Maar hij kan zich niet losmaken van de muziek, die lokt hem verder, net als in de sprookjes die hij vroeger las. Hij duwt de deur open, loopt met de sjaal over zijn arm een gangetje door. En dan kijkt hij plotseling in een kamer, een onverwacht ruime kamer. Op een bank vol geborduurde kussens zit een jongen over een gitaar gebogen, hij speelt met felle slagen, stampt het ritme mee met zijn voet. Ivanka staat wat verder weg, ze houdt haar hoofd schuin, heel sierlijk beweegt ze haar strijkstok, sneller, steeds sneller, muziek als een oplaaiend vuur. Dan is het afgelopen, Ivanka laat haar viool zakken. Pas dan ziet ze Milan, die helemaal onder de indruk bij de deur is blijven staan.

'Mijn sjaal,' roept ze uit. 'Ik was hem kwijt. Wat goed dat je hem hebt gebracht!' Ze pakt de sjaal en draait hem met een handige beweging om haar hals. 'Vasili, dit is nou Milan, die in ons huis woont. Hij speelt ook gitaar.'

De jongen kijkt er niet echt van op. Hij knikt met zijn hoofd naar een gitaar die in een hoek op een standaard staat. 'Dan doe je toch mee,' zegt hij achteloos. En als Milan aarzelt: 'Toe dan. Pak het ritme maar over.'

'Ik denk niet...'

Maar Ivanka heeft het instrument al in zijn handen geduwd. En voor Milan het weet zit hij te spelen. Wel zoekend nog, met simpele akkoorden, maar al gauw heeft hij het ritme te pakken. Dan valt Ivanka in met een mooie melodie. Milan heeft geen tijd om zich over alles te verbazen, hij weet alleen dat hij zich diep gelukkig voelt. Ze spelen nog een paar nummers, al improviserend. Vasili blijkt ook nog panfluit te spelen, en accordeon... En Ivanka kan zingen. Anders dan Djinn, hoger en ijler, maar wel heel mooi.

Eindelijk is het genoeg. Vasili steekt zijn duim op. 'Jij bent lang niet slecht voor een burgerman,' zegt hij. 'Kom nog eens langs,' en dan is hij weg. Het wordt stil, Ivanka veegt bedachtzaam de haren van haar strijkstok glad.

Milan kijkt de kamer rond. Aan de muur, recht tegenover hem, hangt een foto van een man met een viool. Zijn gezicht is moeilijk te onderscheiden, een lok lang zwart haar valt tot bijna over zijn ogen. Zo te zien gaat hij helemaal op in de muziek.

Ivanka ziet hem kijken. 'Dat is Iwan,' zegt ze zacht.

'Dat dacht ik al. Een mooie foto.' Milan weet niet goed wat hij nog meer kan zeggen. Dood is zo akelig, hij denkt er niet graag over na. Dus zoekt hij naar een uitvlucht. 'Ik moet naar huis.'

'Doe je het? Kom je nog eens spelen?' vraagt ze.

Hij zou niets liever willen, maar toch aarzelt hij. Wat zullen zijn ouders zeggen? Over woonwagenkampen gaan van die rare verhalen. Maar dat kan hij toch niet tegen Ivanka zeggen?

'Ik weet niet... of ik tijd heb. Ik ben net begonnen met een jongen uit mijn groep, een drummer. Meer popmuziek, weet je wel. We hebben nog wel geen echte band, maar...'

'Oh ja.' Er verandert iets in de ogen van Ivanka, alsof ze voelt dat hij een smoes bedenkt. Maar ze pakt haar viool, zet aan en speelt de eerste maten van *Michèle*, het beroemde Beatles-nummer. 'Dit bedoel je,' zegt ze. 'Kunnen wij ook hoor.'

Dan legt ze de viool voorzichtig terug in de kist en loopt voor hem uit naar de deur.

'Bedankt voor het terugbrengen.'

'O, dat... was niks. En Ivanka...'

'Ja?'

'Ik wil echt graag nog eens terugkomen.'

'Ja ja.' Ze kijkt hem spottend aan, met ogen die hem duidelijk niet geloven.

'Nou dag.'

'Dag.'

Praten

Milan fietst terug, zijn gedachten schieten heen en weer als de knikkers in een flipperkast. Aan de ene kant heeft hij een geweldige middag gehad, maar aan de andere kant heeft hij het toch weer verprutst op het eind. Ivanka deed zo vijandig, toen hij de deur uit ging. En gelijk had ze. Djinn zou het nog beter hebben aangepakt, die had het keihard gezegd: 'Als ik niet goed genoeg ben, rot dan maar op.'

En dan neem hij zich iets voor, Milan. 'Ik ga terug, ik laat Ivanka niet vallen. Wat iedereen er ook van denkt. Als mamma erover begint, vertel ik gewoon alles, denkt hij dapper. Mamma is het vast wel met me eens, ze kan immers nooit tegen onrecht en discriminatie en zo.

Maar als hij thuiskomt, zit ze met Silke televisie te kijken, het lijkt niet het juiste moment. Hij gaat boven op zijn bed liggen en bedenkt dat het toch wel heel mooi en toevallig is dat hij nu binnen één week drie kinderen heeft ontdekt die muziek maken. Rocky, Ivanka en Vasili. Allemaal bij elkaar zouden we een goeie band vormen, denkt hij. Beter nog dan *Milans Band*.

En dan, beetje voor beetje, vormt zich een plan in zijn hoofd. Ruimte om te oefenen is er, in Rocky's schuur zou je een hele drumband kwijt kunnen als het moest. Als hij Ivanka en haar broer zo ver kon krijgen om daar te komen spelen? Dan zou hij, Milan, opnieuw kunnen beginnen en toch weer een beetje gelukkig zijn. En... dan zou hij Djinn kunnen vergeten, misschien.

Zo ligt hij te dromen als zijn vader binnenkomt. Die gaat bij hem op bed zitten, het hoofd tussen zijn handen.

'Luister, boy...' Hij kijkt Milan ernstig aan. 'We moeten eens even praten.'

Milan schrikt op. Ernstig praten betekent meestal niet veel goeds. Wat is er nu weer aan de hand.

'Mamma en ik hebben overlegd,' zegt zijn vader. 'Het gaat niet goed met jou, Milan. Je bent zo stil, je vertelt ons niets, je hebt geen vrienden. Wij begrijpen dat je je oude school heel erg mist, en *Milans Band* natuurlijk. Nu is er een mogelijkheid...' Hij zucht en kijkt Milan aan. 'Mijn oude baas heeft gebeld. Hij wil me graag terug, hij heeft me een salaris aangeboden dat nog hoger is dan ik hier nu verdien.'

Milan weet niet wat hij hoort. 'Je wilt terug?'

'Mijzelf maakt het niet zoveel uit. Ik kan me overal thuis voelen. Mamma blijft liever hier en Silke heeft haar draai ook wel gevonden. Maar voor jou zouden we het doen. Je voelt je eenzaam, nietwaar? Jij wilt terug, nog liever vandaag dan morgen. Dus...'

Milan kijkt zijn vader met grote ogen aan. Dit was wel het laatste dat hij had verwacht. Hij schudt zijn hoofd, hulpeloos.

'Wat is dat nu? Ik dacht, je springt een gat in de lucht. Hoor eens Milan, je moet nu even niet stoer doen. We hebben het nu over jou, niet over mamma of Silke. We willen niet dat jij eronderdoor gaat. Silke is nog klein, ze went nog wel een keer ergens anders. Zeg wat je denkt, wees eerlijk. Wees gerust blij.'

Maar Milan blijft wezenloos zitten, speelt met de punt van zijn dekbed.

'Ben je dan niet vreselijk opgelucht door mijn aanbod?'

'Gisteren misschien nog wel...'

'Hoezo, wat bedoel je!'

En dan eindelijk, vertelt Milan zijn verhaal. Over Ivanka, waarom ze steeds naar hun huis kwam. Over het verstopte briefje en de vergeten sjaal. En over de muziek die ze maakte met haar broer, in die woonwagen.

'Ik heb vanmiddag met ze samengespeeld en dat ging heel goed. En ik had jullie over Rocky verteld, toch? Ik zat net te denken, we zouden samen een band kunnen maken, en toen kwam jij binnen...'

'Hoe is het mogelijk! Dat heeft dan gewoon zo moeten zijn, denk je niet?' Zijn vader legt een hand op Milans schouder. 'Ik heb op de zaak wel eens over dat gezin gehoord. De vader van dat meisje is tenslotte jarenlang portier geweest. Hij was zeer geliefd, zover ik weet.' Hij knikt nadenkend. 'Weet je Milan, ik zou er werk van maken, van die band. Het zou mooi zijn als we hier kunnen blijven en dat jij daar dan ook helemaal achter kunt staan. En... over dat woonwagenkamp. Wat ik daarvan vind? Binnen of buiten, je hebt overal goede en slechte mensen. Laten we geen vooroordelen koesteren. Deze familie deugt in elk geval. En bovendien...' Pappa grijnst Milan toe. 'Ik kom zelf ook niet bepaald uit een villawijk, wel dan?'

Hij staat op. 'Kom, mamma heeft frietjes in de pan. We maken er een gezellige avond van. Laat ons maar eens horen wat je vanmiddag gespeeld hebt. Ik ben benieuwd!'

Het is of er een steen van Milans schouders is gerold. Ook hij kan weer lachen, er is in elk geval een gouden randje verschenen aan een enorme zwarte wolk.

Even serieus, man

Woensdagmiddag. Milan en Rocky hebben een uur lang samen gespeeld. Nou ja, spelen… Het was meer uitproberen, de 'riffs' die Milan op You Tube had gevonden in combinatie met de drums. Middenin zo'n riff legt Rocky zijn stokken neer.

'Die speakers deugen niet. Wacht, even kijken of ik er iets aan kan doen. Misschien zit er een draadje los.' Rocky springt van zijn kruk en verdwijnt in een hoek van de oude schuur.

Milan blijft zitten, in gedachten verzonken. Hij weet niet goed hoe hij over Ivanka moet beginnen. Misschien vindt Rocky het wel niks allemaal, het is wachten op het goede moment. Nou, dat komt eerder dan hij denkt.

Rocky heeft wat aan de speaker geprutst, en heeft in de gauwigheid ook nog ergens twee blikjes cola opgedoken. 'Hier, vangen!' Hij gooit Milan een van de blikjes toe. 'Toch jammer hè, dat we geen echte band hebben. Met zijn tweeën schiet het niet erg op.'

'Dan vragen we er toch een paar man bij?'

'Waar halen we die vandaan? In dit hele sokkendorp is geen muzikant te vinden. Ja, mijn opa, met zijn mondharmonica.'

Milan grijpt zijn kans.

'Ik ken anders wel een paar lui… Ik heb ze pas ontmoet. Ze zijn echt super.'

'Dat zal wel,' zegt Rocky schamper. 'Ik ken niemand met een instrument. Nou ja, in groep drie zitten er een paar met een blokfluit, die kunnen *Vader Jacob* spelen. Bedoel je die? Wees even serieus, man!'

'Ze zijn niet van onze school, ze eh…'

'Zitten nog op de crèche, zeker.'

'Nee man, hou eens op. Ik méén het serieus. Misschien ken je ze wel, ze hebben vroeger in ons huis gewoond. Eén speelt viool en één speelt gitaar.'

'O die! Maar die zijn van het kamp!'

'Nou en!'

't Wordt stil, opeens horen ze de wind door de kieren fluiten. Rocky lurkt aan zijn blikje, veegt omslachtig zijn mond af aan zijn mouw. Dan geeft hij een petsende klap op zijn deksels.

'Ja, je hebt gelijk. Wat kan het ook eigenlijk schelen. Je denkt er alleen niet zo gauw aan, hè? Er komen hier wel eens kerels van het kamp voor het oud ijzer, mijn pa is blij als ze de rotzooi meenemen. Dus hij zal het wel best vinden. Maar,' Rocky petst er nog maar een keer op los. 'Wat moeten we met een viool? Dat ding past toch niet in een band? Ik bedoel…'

'Je hebt Ivanka nooit gehoord. Ze speelt klassiek maar ook popmuziek. Echt waar.'

'Hmmm. Nou ja, 't is beter dan niks misschien. We kunnen het een keer proberen. En die broer?'

'Vasili. Die speelt zo'n beetje alles. Akoestische gitaar, panfluit, accordeon.'

'We gaan er toch geen hoempaband van maken!'

'Nee, natuurlijk niet. We moeten trouwens afwachten, misschien wíllen ze wel helemaal niet.'

'Oké dan, jij gaat ze vragen. En dan zondagmiddag hier? We zullen wel zien of het iets wordt. Die Vasili, die zie ik nog wel zitten. Maar die Ivanka, met die viool… niks voor mij, Milan!'

En zo staat Milan diezelfde middag weer voor de deur van de woonwagen. Geen muziek te horen nu. En de deur is dicht. Hij klopt, luistert, maar het blijft stil. Hij klopt nog eens, iets luider. En ja, nu hoort hij zachte voetstappen. Een vrouw met veel blonde krulletjes, blauwe ogen, en met gouden ringen om haar blote enkels, doet de deur open. Als dat Ivanka's moeder is, lijkt ze niet erg op haar. De vrouw kijkt hem verbaasd aan. 'Hé,' zegt ze. 'Jij moet Milan zijn.'

Milan is al net zo verbaasd. 'Hoe weet u dat?'

'Zeg maar Nanka hoor.' De vrouw lacht. 'Hoe ik dat weet? Heel simpel. Ik heb al zoveel over je gehoord en zo vaak staan er hier geen burgers op de stoep.'

Ze gaat Milan voor naar de salon. 'Ivanka is even oppassen bij een nichtje, ze komt zo. Wilde je weer muziek maken?' vraagt ze, terwijl ze een schaal met koekjes vult. 'Vasili kan niet meedoen, die heeft vanmiddag gitaarles van zijn ooms. Hier, pak iets lekkers, zelf gebakken.'

'Ik kom iets vragen,' zegt Milan, knabbelend aan de koek. 'Ik wil een band beginnen in het dorp. Met Rocky, een vriend van mij, die drumt. We kennen verder niemand met een instrument. Dus…'

Ivanka's moeder knikt. 'Dus wil je Ivanka en Vasili erbij hebben. Kan ik me voorstellen. Maar ja, het is niet gebruikelijk. De kinderen worden hier opgeleid voor ons eigen orkest, en dat kost al zoveel tijd.'

De deur zwaait open en Ivanka komt binnen. Ze is duidelijk verrast als ze Milan ziet zitten. 'Je bent toch gekomen!'

'Milan komt iets vragen,' zegt haar moeder. 'Iets onmogelijks.'

'Ja… Ik wilde vragen of jullie een band willen maken met Rocky en mij.'

Ivanka lacht. 'Moet dan dat hele drumstel hier naar binnen? Dat gaat niet lukken.'

'Ik bedoel ook niet hier, maar bij Rocky thuis. Die heeft een eigen schuur, daar staan de trommels en de speakers altijd klaar.'

Ivanka's gezicht betrekt. 'Buiten de slagboom. Ik zou wel willen, maar...' Ivanka kijkt haar moeder aan. 'Denk je dat het kan?'

Ivanka's moeder kijkt stil van de een naar de ander. 'Ik weet niet wat de ooms zullen zeggen. We kennen jullie niet, weten niet waar het is...'

'Rocky zei,' zegt Milan vlug, 'dat er vaak mensen van... van hier bij zijn vader komen, voor oud ijzer en zo. Rocky zegt dat ze elkaar al heel lang kennen.'

'Toe Nanka.' Ivanka strijkt zachtjes over haar moeders krullenbos. 'Je zegt toch altijd dat we niet hetzelfde als jij moeten doen, dat we ons hier niet moeten opsluiten.'

Nanka knikt een beetje schuldbewust. 'Dat zeg ik wel, maar in mijn hart houd ik je liever hier, veilig, in het kamp.' Ze volgt met haar wijsvinger het patroon van het tafelkleed. 'Alléén zou ik je nooit laten gaan. Maar als Vasili ook mee zou willen... Ik zal het er met oom Dragos over hebben.'

Ze staat op om een lampje aan te doen, want het begint al aardig donker te worden. 'We bellen je wel, Milan, en als het doorgaat wil ik ook met je ouders overleggen. Spreken we het zo af?'

Dansend op zijn trappers passeert Milan vijf minuten later de slagboom. Een nieuw liedje zingt rond in zijn hoofd. Een nieuw liedje voor de nieuwe band. Misschien.

Het besluit

 'Die Ivanka, met haar viool, niks voor mij.'
Dat hééft Rocky gezegd, Milan moet nog lachen als hij eraan denkt.

Ze zijn nu hooguit een half uur met zijn vieren aan de gang en Rocky is al helemaal om. Hij is duidelijk onder de indruk van Ivanka. Van haar viool en haar spel. En… van haar mooie ogen. Kijk hem zich eens uitsloven met die brushes! Ja, ja, Rocky zo is het wel goed, jongen! Dimmen maar even.

'Oké.' Milan zet zijn gitaar weg. 'Hoe vinden jullie het? Gaat best goed, of niet?'

Hij kijkt Vasili en Ivanka aan. Vasili knikt. 'Het is een beetje wennen aan jullie stijl. Wij spelen meer glissando, meer gevoelig. Bij jullie draait alles om het ritme. Maar dat ene nummer van jou, Milan, *Colours,* dat heeft het wel voor mij. Kun je die akkoordenschema's even voor me opschrijven?'

Zo verloopt de eerste repetitie van de nieuwe band. Ze spelen, praten, proberen uit. De tijd vliegt voorbij. Veel te snel komt oom Dragos, de man met de gouden tand, Ivanka en Vasili weer ophalen. Als de grote zwarte auto is weggereden en Milan op zijn fiets stapt komt Rocky nog even naar hem toe.

'Valt niet tegen,' zegt hij.

'Wat valt niet tegen?'

'Nou gewoon. Die Vasili is goed! En die Ivanka…'

'Ja?'

Rocky grijnst tot achter zijn oren. 'Een moordmeid.'

Milan is net weer thuis en bezig met zijn huiswerk als hij zijn naam hoort roepen.

'Milan! Mail voor je!'

Mamma komt met een stapel rekeningen achter de computer vandaan. Omdat in het dorp niet eens een bank is, heeft ze geleerd om betalingen digitaal te regelen. 'Als je geen auto hebt, moet je wat,' zegt ze, 'ik word steeds beter op die laptop.' Milan legt het blad met Engelse woordjes weg en opent de mail. Die komt van Djinn! Wat vreemd toch, alleen al door het lezen van haar naam gaat zijn hart sneller kloppen. Hij leest.

Mail van Djinn aan Milan

....

Hé, lang niks gehoord. Jij bent wel aan de beurt, maar nu moet ik toch effe iets kwijt. Je weet toch nog wel van die wedstrijd, de Bandbende? Wij gaan nu toch meedoen. Davy heeft een gaaf liedje geschreven, *Take Five*. Volgende week gaan we het filmpje maken, Davy heeft een mobieltje met camera. Als we door de selectie komen, mogen we echt gaan optreden in een popcentrum en dan wordt de winnaar gekozen. We gaan het filmpje in elk geval ook op You Tube zetten, je gaat toch wel kijken!
Ik vraag niet meer of je terugmailt, maar ik hoop het wel.
Djinn
Oja, onze nieuwe naam is *Davy and Friends*. We konden niks beters bedenken.

Besluiteloos blijft Milan zitten. Zal hij terugschrijven? Djinn weet nog niets van zijn nieuwe band. Maar dan wil hij ook met iets komen, hij gaat niet voor die Davy onderdoen. En dan flitst het door zijn hoofd... waarom zou hij óók niet meedoen met die Bandbende? Het moet toch mogelijk zijn om één zo'n nummer in te studeren, ook al bestaat zijn nieuwe groep pas een week. *Colours* zou een geschikt liedje zijn. Ze hebben het tijdens de eerste repetitie geprobeerd, en het klonk heel mooi. Een beetje tussen blues en rock'n roll. Er moet nog van alles aan gebeuren, maar iedereen had er een goed gevoel over. Heel apart, met een zangeres die ook nog viool speelt. Het is het proberen waard.

Ja, denkt hij, zo zal ik het voorstellen. Misschien vinden de anderen het ook een goed idee. En dan schrijf ik Djinn terug. Dat ze weet dat ik hier niet zielig in een hoekje naar háár filmpje op You Tube zit te kijken.

'Is het niet een béétje snel?' Het is de eerstvolgende repetitie en Vasili, de oudste, kijkt een beetje spottend de kring rond. 'Meedoen met de Bandbende! Moeten we niet eerst eens gewoon een band wórden, voor we aan een wedstrijd meedoen?'

'Mij lijkt het wel wat,' zegt Rocky. 'Dan heb je een doel. Oefenen moeten we tóch.'

'Het mag eigenlijk niet uitmaken.' Ivanka draait gewoontegetrouw een lok haar om haar vingers. 'Je moet even goed je best doen, wedstrijd of geen wedstrijd. Maar voor mij hoeft het niet zo.'

Milans gezicht staat somber. Hij ziet zijn plannetje vervliegen. Hoewel…

'Dan staan we quitte,' zegt hij. 'Twee voor, twee tegen.'

Vasili schudt zijn hoofd. 'Noem me eens één goede reden waarom we het zouden doen. Het kan toch altijd nog? Als we er écht klaar voor zijn?'

Milan bijt op zijn lip. Hij kan toch moeilijk zeggen: 'De reden is dat ik indruk wil maken op mijn ex-vriendin?' Maar gelukkig schiet Rocky hem te hulp.

'Als je gaat voetballen begin je toch ook meteen met echte wed-

 94

strijden. Alleen maar trainen, wat is daar nou aan! Dan hielden die F-jes er allemaal meteen mee op.'

'Daar zit iets in.' Vasili kijkt zijn zusje aan. 'Wat denk jij, Ivanka?'

'Ik zei toch, het maakt voor mij niet zoveel verschil. 't Is wel een mooi liedje en ik zing het graag.'

Vasili slaakt een diepe zucht en plukt ongeduldig aan een snaar van zijn gitaar. 'Als we eens muziek gaan maken? We hebben nog maar een half uur.'

'Oké, oké.' Milan pakt ook zijn gitaar op. 'Maar wat hebben we nu besloten, doen we mee? Rocky?'

'Ik ben nog steeds voor.'

'Ivanka?'

'Goed, ik ook.'

'Vasili?'

'Ik doe mee, maar alléén als het ergens op lijkt. Ik ga mezelf niet voor gek zetten. Dus een filmpje maken, prima, maar inzenden is vraag twee. Dat kan ik pas beslissen als het klaar is.'

Daar valt niets tegen in te brengen. En vijf minuten later zijn ze weer hard aan het werk. Vooral Milan piekert zich suf over hoe zijn liedje nog beter zou kunnen. Intussen ziet hij hoe Rocky op allerlei manieren Ivanka's aandacht probeert te trekken. Maar Ivanka is er zo een, die ziet dat niet. Die gaat, na afloop, bloedserieus aan hem vragen hoe de hi-hat werkt en of ze het ook eens mag proberen. Die ziet gewoon niet dat Rocky's sproeten niet meer te zien zijn, zo rood is zijn kop.

Vlak voor ze vertrekken heeft Vasili nog een vraag. 'Hoe noemen we ons? We zullen toch een naam moeten hebben als we ons inschrijven.'

Dat wordt nog een hele discussie.

'Ja, nog niet aan gedacht.'

'Hoe heette jouw vorige band?'

'Gewoon, *Milans Band*.'

'Ja hé, het is ook onze band toch?'

'Dan bedenk je een betere naam, ik vind het best.'

'Oké, we bedenken allemaal iets en dan kiezen we de leukste.'

Daar is iedereen het mee eens. En zo eindigt de tweede repetitie.

Droom

Die nacht droomt Milan. Hij staat op een kale vlakte, het begint te regenen. Hij zoekt een plek om te schuilen en als hij om zich heen kijkt ziet hij een boom in de verte. Hij wil naar die boom, maar de modder zuigt aan zijn schoenen, hij komt maar langzaam vooruit. Als hij de boom eindelijk heeft bereikt is hij al helemaal doorweekt, schuilen heeft geen zin meer. Dan hoort hij roepen: 'Hé Milan, kom erbij!' Het is Djinn, die boven in de boom op een tak zit. Hij klimt naar boven, maar zijn schoenen zijn glad en hij glijdt telkens terug. Ze steekt haar hand uit, ze trekt hem omhoog, tot hij houvast heeft. Hij kan niet naast haar gaan zitten, zoals vroeger, er is geen plaats. Hij kan zich alleen maar vastklampen aan de stam. Water druipt van zijn haar in zijn ogen. Djinn lacht, het geschater klinkt boven het gedruis van de regen uit. Lacht ze hem uit? Dan schuift ze, heel langzaam, haar mouw naar boven. 'Kijk Milan, mijn nieuwe tattoo. Raad eens welke letter?' Hij kijkt, maar kan het niet zien, alles is wazig, wordt vervormd door de druppels in zijn ogen. Als hij de letter wil zien, moet hij de stam loslaten. Met een snelle beweging wrijft hij zijn ogen droog, zoekt weer houvast. Maar hij grijpt mis en voor hij de tattoo kan onderscheiden verliest hij zijn evenwicht, glijdt weg, valt, dieper en dieper... tot hij met dezelfde klap waarmee hij tegen de grond smakt, wakker wordt. Koud en rillerig, naast zijn bed. Vlug kruipt hij onder zijn deken en probeert weer in te slapen. Maar Djinns stem blijft steeds naklinken in zijn hoofd. 'Kijk Milan, mijn nieuwe tattoo. Raad eens welke letter?'

Nou, daar hoeft hij zich geen illusies over te maken. De letter

D natuurlijk. De D van Davy. De D van Davy and Friends. De D van Davy en Djinn. En de D van Dombo. Dombo Milan wel te verstaan.

Nee hè, hij gaat toch niet liggen janken? Milan wrijft zijn hoofd in zijn kussen, blij dat niemand zijn tranen ziet. En dan wordt hij kwaad op zichzelf. Wat nou dombo? Hij heeft toch zeker een nieuwe band? Gloednieuw, niet ingespeeld, maar wel beter. Ze zullen nog opkijken daar in de stad. Hij, Milan gaat ervoor!

Hij draait zich op zijn rug en kijkt naar buiten. De maan schijnt zo vriendelijk bij hem binnen, met die ronde kop. De gouden maan... zou in zijn liedje kunnen.... Misschien moet er nog een coupletje bij. Wat is vriendelijk in het Engels? Gentle... pleasant of zoiets?

Zo fantaserend valt hij eindelijk weer in slaap en dit keer zonder dromen.

Mail van Milan aan Djinn
....

Hoi,

Ja, lang geleden, dat ik schreef, maar ik had het druk met mijn nieuwe band. Wij doen ook mee met de Bandbende. Met het nummer *Colours.* We hebben een heel andere sound. Hoe anders, dat zie je dan misschien wel een keer.

Mazzl 4 you, Milan

Zo, die mail is weg. Wel een beetje kort, nu hij de regels nog eens overleest. Maar wat moet hij nog meer schrijven? Hij kan nog niet eens de naam van zijn nieuwe band noemen. In de volgende mail misschien, als er tenminste nog een volgende keer komt.

Milans Band (3)

 Milan pakt een kladblok en gaat zitten denken. Vanmiddag komen ze weer bij elkaar en hij moet nog een nieuwe naam verzinnen. Maar wat is dat moeilijk! Hij schrijft een paar dingen op en krast ze meteen weer door.

De bende van vier

Boeboeband

Rock en zo.

Mivanskarock

Dat is allemaal niks.

Per ongeluk? Niet gek, de band is per ongeluk na een ongeluk ontstaan. Al zal niemand dat begrijpen. Milan zit nog een poosje op zijn potlood te kauwen, scheurt het blaadje af en stopt het in zijn zak. Eerst maar eens kijken wat de anderen hebben bedacht, dan kan hij altijd nog met zijn idee op de proppen komen.

Als hij, met de gitaar op zijn rug, naar de boerderij fietst, wordt hij ingehaald door de grote zwarte wagen van oom Dragos. Achterin zitten Vasili en Ivanka naar hem te zwaaien. Ja, die gelukvogels hebben een auto met chauffeur!

Als Milan eindelijk aankomt, hebben Ivanka en Vasili hun instrumenten al uitgepakt en zitten Vasili en Rocky fills en riffs uit te proberen. Rocky, die gewend is alléén te spelen, heeft er best moeite mee. Ivanka stemt haar viool, aandachtig, met haar ogen dicht.

Milan pakt zijn gitaar uit, en schuift aan bij de jongens. Ze beginnen met een eenvoudig bluesschema in A, met open akkoorden. Na twaalf maten zet Ivanka met haar viool een variatie in. Rocky krijgt het te pakken, laat behalve de snaardrum nu ook de basdrum meedoen. Vasili heeft een bas-gitaar meegenomen en maakt er met Milan een mooie shuffle van. Dat ze elkaar aanvoelen is duidelijk, het klinkt lang niet gek. Na drie variaties voelen ze tegelijk dat het genoeg is. Rocky slaat een dubbele fill, Ivanka speelt nog een razendsnel loopje, Milan en Vasili dempen gelijktijdig de snaren. 'Wat vind je?' vraagt Vasili. 'Een mooi tempo zo?'

'Voor *Colours*? Mwa...wel een beetje érg sloom. Wat minder swing en iets meer rock. Het moet geen smartlap worden.'

Ze gaan weer aan de slag. Schema's uitschrijven, akkoorden uitproberen, tekst aanpassen. De tijd vliegt voorbij. Na twee uur zitten ze tevreden, de koffers ingepakt, nog even bij elkaar. 'En wat doen we nu met die naam?' vraagt Vasili. 'Ik heb op internet gekeken. We moeten ons deze week inschrijven, anders kan het niet meer. Ik zal het maar eerlijk zeggen, ik heb nog niks bedacht.'

'Ik ook niet.' Rocky klapt een keer met zijn kauwgum. 'Nou ja, ik had *The funny kids.*'

'Mwa...'

'Nee, dat is niks.'

'Waarom tóch niet gewoon *Milans Band*? Milan heeft ons bij elkaar gebracht. En het klinkt goed.' Milan kijkt verbaasd op. Ivanka schijnt te menen wat ze zegt!

'Ja maar, Vasili had gelijk vorige week, jullie zijn net zo belang-rijk,' zegt hij, zo bescheiden mogelijk. 'Ik had *Per Ongeluk* bedacht. Na het ongeluk van mijn zusje...'

'Nee... zo saai. Per ongeluk... Maak er dan Engels van. *By acci-dent.*'

'Iederéén heeft een Engelse naam. Dat valt niet op.'

'*Milans Band* dan maar? Voorlopig?'

'Ik ben voor.'

'Okay, ik ook.'

Milan haalt zijn schouders op. 'Goed dan, *Milans Band*. Als jullie niks beters weten kan ik er ook niks aan doen. Zal ik ons dan zelf ook maar aanmelden?'

Zo krijgt *Milans Band* een tweede leven en wordt diezelfde dag nog ingeschreven in het register van de Bandbende. Met nog twee maanden de tijd om van *Colours* een succesnummer te maken.

Mail Djinn naar Milan

....

Heb je een nieuwe band? Te gek! Met hoeveel zijn jullie en hoe is jullie bezetting? Gewoon zoals bij ons, gitaar, bas, keyboard, drums? Hoe kom je daar zo opeens aan, ik dacht dat er in jullie hele dorp geen muzikant te vinden was. Nou krijgen we dus concurrentie van onze eigen oprichter. Grappig wel. Misschien zien we elkaar bij de finale, als we die halen.

Gaat alles goed met je pa en ma en Silke? Mamma is weer helemaal beter en gelukkig is het uit met die vriend, dat was zo'n kwal. Ik ga me er maar eens mee bemoeien. Ik zoek een mooie, rijke, aardige man voor mijn moe, die mij meeneemt naar Addy (je weet wel, die modeontwerper) om een glitterjurk te kopen voor het filmpje. Dat paarse geval van jouw afscheid, pas ik niet meer in.

MazzL 4 you 2.

(Heb je je Cito goed gemaakt?)

Mail Milan naar Djinn

....

Silke is een keer van haar pony gevallen maar verder niks aan de hand. Mijn vader is begonnen met de nieuwe garage. De fundamenten zijn al uitgegraven en de stenen zijn al gebracht. Dat werd tijd, zo gauw alles klaar is komt er weer een auto. Wat de band betreft, we hebben een andere bezetting, maar dat zie je nog wel. Wij gaan misschien ook op You Tube, maar pas als we de finale hebben gehaald.

Ik zie jou nog niet in een glitterjurk, maar je moet het zelf weten. Ik ken hier wel een aardige man voor je moeder, maar hij is niet rijk en niet mooi. En hij heeft een gouden tand.

Oja, groeten aan groep 8. En aan meester Jop. Zeg maar dat er hier een goudvink in de tuin zit. Staat in dat boek van hem. Ze doen hier trouwens niet aan Cito. Ik ga naar de brugklas in Bergwoud, dat is zeven kilometer fietsen.

Opa Willem, ouwe rocker

'Hé jongens, wel een beetje inkrimpen, ik krijg jullie niet goed in beeld.' Rocky's opa, meer een oude cowboy met zijn laarzen en zijn hoed, staat hoog op een kist met zijn camera in de aanslag.

Vandaag proberen ze een filmpje uit. Wekenlang hebben ze aan hun nummer gewerkt. Akkoorden werden bijgesteld, veranderd, nog eens veranderd. De solo's werden ingestudeerd, de ritmes aangepast en de riffs geoefend tot iedereen tevreden was.

Alleen Milan twijfelt nog. Het is een bijzonder stuk muziek geworden, dat weet hij zeker, maar het intro zit hem dwars. Dat is te simpel, zo van one, two, three, four, en dan twaalf maten waarin eigenlijk weinig gebeurt. Maar wat hij ook probeerde, het werd er niet beter door, dus legde hij zich maar bij het eerste plan neer.

Op opa's aanwijzingen gaat hij wat dichter bij Rocky staan. Ivanka verzet haar microfoon een beetje, en Vasili komt iets naar voren. Opa Willem knikt, zo zal het wel gaan.

'Ik wil eerst even inspelen,' zegt Vasili. 'Als dat mag.'

'Zo veel je wilt, ik heb de tijd hoor.' Opa Willem zakt door zijn knieën en gaat bedaard zitten. Terwijl de band de instrumenten aan het stemmen is, pakt hij zijn mondharmonica uit zijn binnenzak en begint zachtjes te spelen. *Colours, colours, everywhere.* Ach ja… Hij kan dat liedje natuurlijk wel dromen, hij heeft het al zo vaak gehoord terwijl hij op de boerderij aan het rondscharrelen was. Niemand slaat er acht op, maar Milan is verrast.

'Dat bedoel ik nou!' roept hij uit. 'Horen jullie?'

De anderen kijken hem verbaasd aan. 'Je bedoelt... die mondharmonica?'

'Ja natuurlijk! De mondharmonica zet in en dan komt de drum erbij, off-beat. Na de fill wij allemaal, in de herhaling, met als verrassing Ivanka op de viool... Als ze de coupletten zingt legt ze de viool weg en wij zingen mee met het refrein. Dan bouwen we weer af tot alleen de mondharmonica overblijft. Dan is het vanaf het begin spannend, een goed geheel.'

'Je hebt mooi praten, maar wie speelt hier mondharmonica? Ik niet!'

'Je hebt gitaristen, die kunnen het allebei tegelijk. Gitaar en mondharmonica.'

'Ja maar daar is het nu te laat voor, dat krijg je niet meer geleerd.'

'Had dat drie weken geleden gezegd!'

'Maar Milan heeft wel gelijk, het zou hartstikke leuk zijn.'

Opa Willem heeft het allemaal aan zitten horen. Hij grijnst zijn tanden bloot. 'Dan doe ik het toch? Ze noemen me in de kroeg niet voor niks ouwe rocker!'

Hij zet de harmonica weer aan zijn mond en begint een eind weg te spelen. Zijn laarzen stampen de maat. Vasili schiet in de lach. 'U lijkt Bob Dylan wel,' zegt hij. 'Net echt!'

Dan worden ze opeens allemaal enthousiast. Ze roepen door elkaar: 'Dat zou maf zijn! Opa Willem erbij!'

'Dat heeft niemand!'

'Moet je wel zo'n houthakkershempie aan, opa!'

Opa Willem lacht maar, hij heeft nog niet door dat ze het echt menen. En het eind van het liedje is dat hij mee zal doen, als éénmalig gastspeler bij Milans Band.

Rocky's oudste broer Bert wordt erbij gehaald. Die moet nu filmen. Hij maakt een proefopname, heel close, opa Willems gegroefde cowboygezicht, met die twee grote handen om die mondharmonica en dan na twaalf maten de inzet van de band. Natuurlijk gaat het honderd keer fout, maar na een paar uur kunnen ze de camera binnen op de televisie aansluiten en zien ze het resultaat. Een schitterend filmpje, van precies vier minuten. Behalve een paar mislukte syncopen zitten er geen fouten in. Ivanka heeft nog nooit zo mooi gespeeld en gezongen.

Als Rocky's vader binnenloopt en het filmpje bekijkt weet hij niet wat hij ziet. 'Een ouwe gek en een stel jonge wijsneuzen,' zegt hij. 'Het is me wel een combinatie. Maar muziek maken kunnen jullie. Ik moet nog zien wie dat beter doet.'

Vijf minuten later is de film verstuurd en begint het afwachten.

Delete

 'Is de post al geweest?'
'Geen mail voor mij?'
'Is er niet gebeld?'
Het zijn de vragen die Milan de eerstvolgende weken minstens drie keer per dag stelt. Het antwoord is telkens: nee. Geen telefoon, geen brief en ook geen mail voor jou. Elke dag kijkt hij op de site van de Bandbende, maar ook daar geen nieuws, al is de datum van filmpjes insturen al lang en breed verstreken.
'Dat wordt niks, jongens,' zegt hij, als ze weer op een zondag aan het oefenen zijn. 'Het duurt veel te lang. Over drie weken is de finale. De bandjes die uitgekozen zijn hebben vast al lang bericht gehad.'
'Wat kan het schelen,' roept Rocky uit. 'We spelen voor de lol, niet om een prijs te winnen. We hebben jaren de tijd, we zijn nog zó jong!'
'Ho, ho, denk ook eens mij! Ik ben een ouwe knar,' zegt opa Willem, die er ook bij zit. 'Voor mij is het nu of nooit! Als mijn handen gaan trillen...' Hij pakt zijn mondharmonica en speelt met trillende handen. Ze schieten in de lach.
'Dat kan best, opa, dat is alleen een beetje meer vibrato!'
Het gekke is, nu ze de gedachte aan de wedstrijd min of meer hebben losgelaten, hebben ze meer lol en spelen ze nog beter dan de vorige keren. En terwijl Milan naar huis fietst denkt hij: oké, we hebben het niet gehaald, maar die *Davy and Friends* vast ook niet. Anders had Djinn het heus wel laten weten. Ben ik in elk geval niet de enige die afgaat.
Als hij thuiskomt, is Silke op de computer een briefje aan het schrijven. Met twee vingers drukt ze de toetsen in, letter voor

letter verschijnen de woorden op het scherm.

'Duurt het nog lang?' vraagt Milan, die zelf zin heeft in een spelletje.

Silke schudt haar hoofd.'Wat betekent dulleetuh?'

'Je moet zeggen: deliet.' Milan komt bij Silke staan. 'Als je op die knop drukt, verdwijnt er iets. Een letter, of een zin. Kijk maar.' Hij markeert een regel en verwijdert die.

'Oh…'

Silke trekt een rimpel tussen haar ogen. 'O, nou snap ik het. Gisteren was opeens alles weg.'

'Je hele brief?'

'Niet mijn brief. Al die andere brieven. Die je moet aanklikken, als je ze wil lezen. Ik drukte op dat knopje en floep!'

'Heb je post verwijderd? Laat me eens kijken!'

Milan drukt Silke opzij, schuift met één bil naast haar op de stoel en pakt de muis. Hij klikt op de mailbox met de verwijderde post. En dan…

'Jee, Silke, hoe kon je dat nou doen! Mail voor de band. Weg nou!' Hij duwt Silke nu helemaal van de stoel en gaat er goed voor zitten. Opent de mail.

Het is maar een klein bericht, maar wát voor bericht!

Aan de leden van Milans Band
Proficiat! Jullie inzending *Colours* is genomineerd voor de finale van de Bandbende. Deze finale wordt gehouden op zondag 25 april in Popcentrum Venus, te Amstelraat. Aanvang 19.00 uur.

De soundcheck voor Milans Band is een dag eerder, op zaterdag 24 april, 's middags om 14.00 uur. Dan wordt het toneelplan gemaakt wat betreft de geluidsapparatuur en dergelijke. Drumstel en piano zijn aanwezig. Andere instrumenten moeten worden meegebracht.

Wij wensen jullie veel succes!
Met vriendelijke groet, organisatie Bandbende.

Yes! Milan steekt zijn vuist op. Dus toch. Het is gelukt! Hij wil al opspringen om iedereen te gaan bellen, als zijn oog op nog een ander verwijderd mailtje valt.

Mail van Djinn aan Milan
....
Hoi Milan,
Zijn jullie genomineerd? Wij wel! Op 25 april is de finale. Ik hoop dat ik me dan beter voel, ik ben nu snipverkouden. Ik heb in Second Hand Rose, je weet wel die winkel met tweedehands kleren een gaaf jurkje gekocht voor maar 15 euro. Verder zeg ik nog niks. Misschien tot dan.
Groetjes, Djinn

Mail van Milan aan Djinn
....
Gefeliciteerd. Trouwens, wij zijn ook genomineerd. Dus tot 25 april.
XieU, Milan

Als Djinn eens kon horen hoe zijn hart klopt, terwijl hij zijn mailtje verzendt. Maar ze zal het nooit weten. Nee, echt niet, denkt hij. Zij heeft voor Davy gekozen, ik laat me heus niet kennen. Ik doe gewoon of het me niets kan schelen. En misschien, als ik haar zie, is het over. Misschien vind ik haar wel helemaal niet meer zo leuk.
Dan pakt hij de telefoon om het goede nieuws te melden aan alle leden van *Milans Band*.

Spanning

Het is een heel konvooi dat op een mooie lentedag van Velder naar Amstelraat trekt. Voorop een grote zwarte wagen met daarin de leden van de band met hun particulier chauffeur, oom Dragos. Daarachter het busje van ome Sjaak, volgeladen met instrumenten en één enorme snoepdoos. Daar weer achter opa Willem in zijn jeep, met Silke en Milans ouders. Dan Rocky's familie in de stationcar, gevolgd door een hele stoet bontgekleurde wagens met prachtig uitgedoste Roma, waaronder de moeder van Ivanka. En dan de grootste verrassing: een schoolbus vol met jongens en meisjes in voetbalshirts, behangen met spandoeken waarop deze keer niet 'HUP KLIMOP-SCHOOL' maar 'HUP MILANS BAND' staat. Milan is er helemaal beduusd van, dit had hij nooit verwacht. Intussen weet hij niet waar hij het meest zenuwachtig voor is: voor de wedstrijd of voor het weerzien met Djinn. Gisteren, tijdens de soundcheck, heeft hij haar niet gezien, *Davy and Friends* waren 's morgens vroeg al geweest. Maar vandaag is ze er zeker wel. Al die spanning, hij heeft er pijn in zijn buik van. Maar ook de andere leden van de band hebben zo hun gedachten en zitten een beetje bleek voor zich uit te kijken.

'Liebe kinder!' zegt oom Dragos. 'Denk mal, muziek is freude, plezier! Singen wir!' Hij begint te zingen, een oud zigeunerlied. Ivanka en Vasili vallen in en klappen mee en het duurt niet lang of ze zitten met zijn allen te klappen en te stampen en te zingen, het ene lied na het andere. Het werkt, ze vergeten hun zenuwen, en als ze in Amstelraat aankomen zijn ze lekker ingezongen. Oom Dragos lacht met zijn schitterende gouden tand. 'Zo doen wij dat, als wij gaan met ons orkest op tournee!'

Ze worden verwelkomd door mensen van de organisatie. De instrumenten worden uit het busje gehaald en dan gaat de band mee 'backstage'. De bonte stoet met meegekomen fans, verbaasd nagestaard door fans van andere bands, zoekt een plekje in de grote zaal. Oom Sjaak heeft de snoepdoos meegenomen en begint meteen uit te delen terwijl oom Dragos weer begint te zingen. De stemming zit er al goed in, op de tribune. Daarover hoeft Milan zich in elk geval geen zorgen te maken.

Achter het toneel is het een warboel van mensen, apparatuur en instrumenten. De mannen van de techniek lopen te sjouwen met verlengkabels, speakers, versterkers en statieven. Anderen testen het licht en het geluid.

Milan krijgt een programma in zijn handen geduwd. Zijn ogen vliegen over het papier. Nummer één, twee, drie... Kijk, *Davy and Friends* spelen vlak voor de pauze. En *Milans Band*? Sjips, ze zijn als allerlaatste ingepland. Zitten ze de hele avond in de zenuwen. Opa Willem stelt hem gerust. 'Dat is alleen maar gunstig jongen. De laatste indruk blijft het best hangen. Moeten we wel goed spelen natuurlijk.'

Ze sjouwen door een labyrint van gangen, op elke deur staat de naam van een band. Op nummer 3 staat: *Davy and Friends*. Milan krijgt weer zo'n steek in zijn maag. Maar er is daar nog niemand, het is in elk geval muisstil achter die deur.

Zelf zitten ze een eindje verder, in kamer nummer 7. Wat onwennig gaan ze op de houten bankjes zitten. Wat nu? Het zal toch niet de bedoeling zijn dat ze de hele avond hier moeten zitten tot ze eindelijk aan de beurt zijn?

Maar nee, al gauw komt een meisje binnen, helemaal punk, met een piercing in haar neus. 'Hoi, ik ben Peggy, zeg maar Pek. Jullie kunnen in elk geval tot de pauze gewoon in de zaal zitten. In de pauze moet je je instrument uitpakken, en met de geluidsman bespreken wat je nodig hebt aan microfoons en dergelijke. Na de pauze blijven jullie achter de coulissen, tot aan je optreden. Je kunt je omkleden, schminken, zoals je zelf wilt. Als je iets wilt weten, zoek je mij maar op. Ik ben de hele avond backstage. Succes allemaal!' Ze is de deur al bijna uit als ze zich nog omdraait en een beetje verstoord naar opa Willem kijkt. 'Het publiek hoort in de zaal,' zegt ze. 'Het wordt hier anders veel te vol.' Dan is ze weg. Opa Willem grinnikt. 'Die zal nog raar opkijken. Wie niet, trouwens.' Hij pakt zijn mondharmonica en begint hem op te poetsen. Zijn handen trillen écht een beetje. 'Ja jongen, mag ik óók een beetje zenuwachtig zijn? Dat gaat straks wel over,' mompelt hij, als hij voelt dat Milan zit te kijken. 'Let maar op je eigen, man.'

'Zullen we in de zaal gaan zitten? Anders zitten we straks helemaal achteraan.' Een goed idee van Vasili. Ze hangen hun jassen op en bergen de instrumenten in een grote kast. Terwijl de anderen al vast de gang inlopen trekt Ivanka Milan aan zijn mouw. 'Ik wil wel de deur op slot hoor, ik laat mijn viool hier niet zo maar achter.' Gelukkig zit er een sleutel aan de binnenkant van de deur. Milan pakt hem en draait de deur aan de gangkant op slot.

Samen met Ivanka loopt hij achter de anderen aan. En net als ze langs kleedkamer 3 lopen gaat de deur open en komt Djinn naar buiten. Ze is verrast. Wil hem om zijn hals vliegen. 'Milan!'

Maar dan ziet ze Ivanka. Ivanka met haar lange haar, en die zwarte ogen.

Ze blijft een beetje verlegen staan. En Milan weet ook niet wat hij zeggen moet.

Ivanka snapt er niks van. 'Kennen jullie elkaar?'

'Djinn is van *Milans Band*. Van de oude *Milans Band*,' zegt hij schor.

'Hè?' zegt Ivanka verbaasd. 'Daar heb je niks van gezegd, Milan, dat je eerste band ook meedoet!'

Er glijdt een schaduw over Djinns gezicht. 'Dan weet je het nu.'

Milan voelt zich steeds ongelukkiger. 'Djinn… ik…'

Maar Djinn draait zich om. 'Ik moet me omkleden.' En dan met een scheef lachje. 'Ik wens jullie veel succes!' Voor Milan nog iets kan zeggen slaat de deur met een klap dicht.

'Waar blijven jullie nou!' Vasili steekt zijn hoofd om de hoek van de gang. 'Schiet op, de zaal zit al bijna vol!'

Dan is het rennen en neemt de wedstrijd Milan weer in beslag. Al kan hij het gebeurde niet helemaal van zich afzetten. Er was iets in Djinns ogen… iets verdrietigs, wat hij nooit eerder had gezien. En dat blijft knagen, dwars door de opwinding, de spanning en de herrie aan zijn kop.

De wedstrijd

Het is bijna pauze. Vier bandjes hebben hun optreden al gedaan, en vooral nummer drie was erg goed. Maar nu komen *Davy and Friends*! Milans hart klopt in zijn keel, als hij straks zelf moet optreden kan hij niet zenuwachtiger zijn. Een paar jongens van de techniek lopen nog een paar dingen te controleren, iemand roept: 'Test! Test' door de microfoon.

En dan komt de band, Davy voorop. Hij ziet er stoer uit met die doek om zijn kop en dat leren jack. Jorian en Luuk doen hem precies na, steken ook hun vuist in de lucht en oogsten al applaus voor ze nog maar een noot gespeeld hebben. En dan is daar Djinn. Zij krijgt ook al applaus, want ze ziet er schitterend uit. Letterlijk schitterend! Dat korte haar met die blauwe sprieten piekt lekker alle kanten uit. Ze draagt zwarte lippenstift en nagellak en een sjieke glitterjurk. Met daaroverheen een spijkerjas en daaronder een paar afgetrapte legerboots. Alleen Djinn kan zoiets bedenken. Ze worden aangekondigd: 'En dan nu dames en heren, *Davy and Friends*! Met het nummer *Take Five*!'

Waing! De band zet sterk in. En bijna meteen ook Djinn, met haar hese stem, ze kruipt bijna in die microfoon. Davy laat zijn gitaar mooi janken, Luuk zijn saxofoon snikt er mooi tegenaan. Jorian verzorgt het ritme op zijn keyboard en heeft zo te horen heel wat bijgeleerd. Maar daar let Milan nauwelijks op. Hij kan zijn ogen niet van Djinn afhouden. Ze heeft de microfoon uit de standaard gehaald en stampt nu op haar legerboots van links naar rechts over het toneel.

Wat een heftig nummer! Milan is bijna jaloers, maar ook heel erg trots op Djinn. Zoals zij zingt en beweegt, dat is echt top.

En hij is niet de enige die dat ziet. De zaal pakt het ritme op en klapt mee, helemaal in de ban van het liedje *Take Five*.

Nu is het bijna afgelopen, Djinn loopt naar het midden van het podium, zet haar microfoon terug. Het slotakkoord klinkt. En dan doet Djinn weer iets waar niemand op rekent. Ze trekt haar jasje uit, gooit het weg en zingt de laatste regel zonder begeleiding: 'I thought, we were friends!' We waren toch vrienden!

De lichten in de zaal gaan aan, applaus breekt los. De zaal staat op zijn kop. De mensen fluiten, stampen, klappen allemaal. Allemaal, behalve Milan. Want hij ziet hoe Djinn haar ogen over het publiek laat dwalen, alsof ze iemand zoekt. Dan vangt ze eindelijk zijn blik en houdt die vast. Een magisch moment... Waren die laatste woorden voor hem bedoeld? We waren toch vrienden! Het antwoord krijgt hij vrijwel meteen. Want als ze opzij stapt, om samen met de anderen afscheid te nemen van het publiek ziet hij heel helder en duidelijk een tattoo op Djinns arm. Het is de letter M. De M van Milan.

'En dan nu, mensen, het laatste optreden. Een groot applaus voor *Milans Band!*'
In de coulissen staat Milan te bibberen van de zenuwen. Waar zijn ze aan begonnen! Opa Willem slaat hem op zijn schouder.
'Kom op, jongen, daar gaan we! Alles of niks!'
'Alles!' zegt Milan dapper en maakt een high five met Ivanka, Rocky en Vasili. Ze lopen het toneel op. Wat een vreemde ervaring, zo in de spotlights te staan. Verblind door de felle toneellampen staren ze in een groot zwart gat, de zaal. Je ziet het publiek niet zitten maar je hoort het applaus. Applaus dat al snel verstomt als de mensen een oude cowboy naar de microfoon zien lopen. En dat meisje in die zigeunerkleren, wat heeft

die voor instrument? Een viool? Er klinkt gemompel in de zaal. Ze zijn daar toch niet gekomen om naar Mozart te luisteren? En dan gebeurt er iets vreemds. Het wordt stil. Zo stil als het de hele avond nog niet is geweest. En in die stilte klinkt opeens heel fijn en teer het geluid van een mondharmonica. Opa Willem staat heel dicht tegen de microfoon te spelen, mooi en spannend. Rocky valt in, heel subtiel nog, op de snaardrum. Doemmmm...doemmmm... Vasili's basgitaar... Milans gitaar neemt de melodie van de mondharmonica over...

Het publiek houdt de adem in. Ivanka komt naar voren en neemt opa Willems plaats in voor de microfoon, legt haar viool op haar schouder... En dan gaan de remmen los en speelt ze in het swingende ritme van de band mee, net zo makkelijk. De mensen kijken hun ogen uit. Dit is uniek, nog niet vertoond. Maar wordt er niet gezongen? Vol verbazing zien ze hoe Ivanka na een lange hoge toon haar viool aan opa Willem geeft en begint te zingen, met een ijle, maar zuivere stem:

Colours, colours, everywhere
I buy you a little pink icecream
walking to the deepblue see
the purple sun is shining
on the yellow sand,

colours colours everywhere
and we walk hand in hand.

Het refrein zingen ze allemaal. Daarna neemt Ivanka haar viool weer op en spelen ze allemaal nog een wervelend stuk. Dan wordt het nummer afgebouwd, ze gaan steeds zachter spelen tot alleen de tonen van de mondharmonica overblijven...

De lichten gaan aan. Drie vier tellen blijft het stil. Dan klinkt er een stem van achter uit het publiek: 'Bravo!'

'Bravo! Bravo!' de zaal staat als één man op. Een oorverdovend applaus volgt, minstens zo oorverdovend als dat voor *Davy and Friends*. Milan staat te stralen, en samen met zijn band maakt hij een buiging. Vanuit zijn ooghoek ziet hij hoe Djinn om het hardst staat mee te klappen en te juichen, en ook Jorian en Luuk klappen mee. Davy niet. Die staat een beetje zuur te kijken en fluistert iets in het oor van zijn vader die naast hem zit. Nou, hij doet maar, denkt Milan, zolang hij maar niet in Djinns oor staat te smoezen.

En de winnaar is...

Terwijl de jury, die vanaf de eerste rij heeft toegekeken, de koppen bij elkaar steekt, komen vanuit de zaal alle deelnemers weer het toneel op. *Milans Band* wordt naar de achtergrond gedrongen. Milan probeert over de hoofden heen te kijken. Waar is Djinn! Hij wil haar spreken. Hij moet weten of de letter M echt zijn letter is. Er zijn zoveel namen die met een M beginnen, er kan ook een nieuw vriendje zijn, toch? Hij dringt zich naar voren, maar wordt weer even hard teruggeduwd. Iedereen wil vooraan staan, nog even gloriëren op dat grote podium. Hij geeft het maar op, gaat weer bij zijn eigen bandleden staan. Naast Rocky, die zijn arm om Ivanka heeft heengeslagen, en hem grijnzend een knipoog geeft. Naast Vasili, die lachend zijn hoofd staat te schudden, omdat hij eindelijk door heeft wat er aan de hand is met die twee. Smoorverliefd! Opa Willem staat verscholen in de coulissen, van waaruit hij alles glimlachend staat aan te zien.

Dan klinkt weer de stem van de presentator.

'Dames en heren, mag ik de voorzitter van de jury verzoeken op het toneel te komen en de uitslag bekend te maken.'

Het geroezemoes verstomt. Milan gaat op zijn tenen staan en ziet nog net een glimp van een man in een deftig pak, de directeur van een beroemde platenmaatschappij. De man kucht een paar keer, er klinkt geritsel van papier, en dan neemt hij het woord.

'Dames en heren. Lang beraadslagen was dit keer niet nodig, want voor de jury sprongen drie bands er duidelijk uit. Ik noem ze in willekeurige volgorde en verzoek naar voren te komen: *De Specs*, *Milans Band* en *Davy and Friends*!'

Er wordt luid geklapt, de mensen in de zaal zijn het duidelijk met de spreker eens. Die wacht lachend tot het weer stil wordt. Milan baant zich samen met de anderen een weg naar voren. Hij zwaait naar zijn ouders op de derde rij. En dan ziet hij hoe Davy's vader zich langs een rij toeschouwers wurmt en naar voren loopt, in de richting van de jurytafel. Die denkt zeker dat zijn zoontje al gewonnen heeft.

Het applaus ebt weg. De voorzitter gaat verder.

'Drie kanjers van kanshebbers dus. Maar, een wedstrijd is een wedstrijd, er kan er maar één de winnaar zijn. En die winnaar is...!'

De spanning stijgt ten top. Iedereen kijkt ademloos naar meneer de directeur. Maar dan gebeurt er iets vreemds... Er komt nog een lid van de jury het toneel op. Hij fluistert iets achter zijn hand en duwt de voorzitter een stuk papier in zijn hand.

Iedereen kijkt toe hoe de voorzitter zijn ogen over het papier laat glijden, en een gebaar maakt van: tja, dat moet dan maar. 'Excuses voor deze onderbreking,' zegt hij dan. 'Ik leg het jullie uit.'

Hij laat zijn blik over de drie genomineerde bands glijden. Die blik blijft rusten op Milan. 'Ik wílde zeggen: de winnaar is *Milans Band*.'

Gefluit, gejoel, geklap!

Ivanka's familie springt op en heft een feestelijk zigeunerlied aan. De voorzitter laat het even gaan, maar klopt dan op de microfoon. 'Stilte! Stilte alstublieft!' Hij knijpt zenuwachtig in zijn kin. 'Ik wilde dus zeggen: de winnaar is *Milans Band*. Maar... helaas, de jury moet deze band diskwalificeren op grond van artikel 1 van het wedstrijdreglement: het is een wedstrijd voor scholieren. Eén van jullie leden voldoet echter niet aan deze eis.'

'Zo is het!' klinkt een stem door de zaal. De stem van Davy's vader. Nu snapt Milan wat die bij de jury moest, die is gaan protesteren. Hij hoort opa Willem vloeken, naast hem in de rij. 'Wat een gladjak, wat een gluiperd, wat een laffe streek.'

De voorzitter gaat verder. 'De winnaar is dan nu... *Davy and Friends*! Proficiat. Applaus dames en heren!'

Dat applaus komt niet spontaan. De mensen in de zaal weten niet goed hoe ze moeten reageren. De jury staat er ook een beetje onbeholpen bij, net als de muzikanten op het toneel.

Maar dan stapt er een meisje naar voren. Een meisje met blauwe strepen in het haar, op afgetrapte schoenen, met op haar arm een grote letter M.

Ze loopt naar Milan en trekt hem mee naar de microfoon. En ze roept, zodat iedereen het kan horen: 'Ik deel mijn prijs met Milan. Milan van *Milans Band*!'

'Bravo!' Dat is oom Dragos, die van zijn stoel is opgesprongen. 'Bravo, voor allebei!' Dan eindelijk breekt het applaus los, een oorverdovend, warm applaus.

En Milan... hij hoeft niet meer te vragen of die M nog van zijn naam is. Hij ziet het in Djinns ogen, als hij haar voor de volle zaal op beide wangen kust.

Leny van Grootel (1950) schreef haar eerste boek toen ze tien jaar was. Het werd nooit uitgegeven, maar het schriftje waarin het verhaal is geschreven, heeft ze altijd bewaard. Soms leest ze er zelfs nog uit voor, als ze een school of bibliotheek bezoekt.

Ze won ook een keer een landelijke opstelwedstrijd met een verhaal over ballet. Ballet was haar grote passie en ze droomde ervan zelf ook ballerina te worden. Maar... dat bleef een droom. Ze werd lerares op een basisschool en ze schreef daarnaast jarenlang voor *Studio Jong*, de kinderpagina van de KRO televisiegids, en voor het tijdschrift *Klap*.